世界遺産シリーズ

世界遺産ガイド

－イスラエルとパレスチナ編－

《 目　次 》

本書の作成にあたり、下記の方々に写真や資料のご提供、ご協力をいただきました。

ユネスコ、ユネスコ世界遺産センター 、IUCN、ICOMOS、https://www.cia.gov/the-world-fact-book/、外務省（Ministry of Foreign Affairs of Japan）、駐日イスラエル大使館、Israel Ministry of Tourism、Visit Palestine

【表紙と裏表紙の写真】

（表）　　　　　（裏）

❶	❷
❸	❹
❺	❻

❼

❶ エルサレムの旧市街とその城壁
❷ イエスの生誕地：ベツレヘムの聖誕教会と巡礼の道
❸ 聖書ゆかりの遺跡の丘－メギド、ハツォール、ベール・シェバ
❹ ヘブロン/アル・ハリールの旧市街
❺ ベイト・シェアリムのネクロポリス、ユダヤ人の再興を示す象徴
❻ オリーブとワインの地パレスチナ
　　エルサレム南部バティール村の文化的景観
❼ カルメル山の人類進化の遺跡群：ナハル・メアロット洞窟と
　　ワディ・エル・ムガラ洞窟群

はじめに

エルサレム旧市街と城壁
〈Old City of Jerusalem and its Walls〉
文化遺産(登録基準(ii)(iii)(vi))　1981年
ヨルダン推薦物件　★【危機遺産】1982年

本書では、イスラエルとパレスチナの世界遺産を特集する。断片的にではありますが、これまでに、「世界遺産ガイドー中東編ー」、「世界遺産ガイドーイスラム諸国編ー」で取り上げたことがあります。

イスラエルとパレスチナとの関係は、長年にわたって複雑で緊張が高まっています。1947年に国連でパレスチナにユダヤ人の国とアラブ人の国とに分割する提案がなされ、ユダヤ人の国としてイスラエルが創設されました。しかし、アラブ側は強硬に反対し中東戦争が勃発し、それは1973年の第四次まで続きました。その後、エジプトやヨルダンと平和条約を結びましたが、中東戦争で獲得したゴラン高原の占領を続けています。現在、イスラエルとパレスチナの和平交渉は2014年を最後に行われていません。

イスラエルの民族は、ユダヤ人（約74%）、アラブ人（約21%）、その他（約5%）、言語は、ヘブライ語（公用語）、アラビア語（特別な地位を有する）、宗教は、ユダヤ教（約74%）、イスラム教（約18%）、キリスト教（約2%）、ドルーズ（約1.6%）です。

イスラエルは、1999年10月6日に世界では157番目に世界遺産条約を締約、2024年1月現在、イスラエルの世界遺産の数は9件です。イスラエル最初の世界遺産は、2001年に「マサダ」、2003年に「テル・アヴィヴのホワイト・シティー近代運動」、2005年に「聖書ゆかりの遺跡の丘ーメギド、ハツォール、ベール・シェバ」と「香料の道 －ネゲヴの砂漠都市群」、2008年に「ハイファと西ガリラヤのバハイ教の聖地」、2012年に「カルメル山の人類進化の遺跡群：ナハル・メアロット洞窟とワディ・エル・ムガラ洞窟群」、2014年に「ユダヤ低地にあるマレシャとベトグヴリンの洞窟群：洞窟の大地の小宇宙」、2015年に「ベイト・シェアリムのネクロポリス、ユダヤ人の再興を示す象徴」、すべて文化遺産です。

世界無形文化遺産については、ありません。無形文化遺産保護条約の締約が望まれます。

世界の記憶については、5件、2013年選定の「エルサレムのヤド・ヴァシェムの証言集、1954〜2004年」と「ロスチャイルド文書」、2015年の「アレッポ写本」と「アイザック・ニュートン卿＊の科学と数学の論文集 ←アイザック・ニュートンの神学の論文集」（2017年、英国を追加）、2017年の「イスラエルの民話アーカイヴス」です。

一方、パレスチナの人種・民族は、アラブ人、言語は、アラビア語、宗教は、イスラム教（92%）、キリスト教（7%）などです。

パレスチナは、2011年12月8日に世界では189番目に世界遺産条約を締約、2024年1月現在、パレスチナの世界遺産の数は4件です。パレスチナ最初の世界遺産は、2012年に登録された 「イエスの生誕地：ベツレヘムの聖誕教会と巡礼の道」、2014年の「オリーブとワインの地パレスチナーエルサレム 南部バティール村の文化的景観」（★危機遺産に同時登録）、2017年の「ヘブロン/アル・ハリールの旧市街」（★危機遺産に同

時登録）、2023年の「古代エリコ / テル・エッ・スルタン」とすべて文化遺産です。

　世界無形文化遺産については、2011年に無形文化遺産保護条約を締約、世界無形文化遺産は6件です。パレスチナの無形文化遺産は、2008年の「パレスチナのヒカイェ」、2019年の「ナツメヤシの知識、技術、伝統及び慣習」、2021年の「パレスチナの刺繍芸術とその慣習・技術・ 知識及び儀式」と「アラビア書道：知識、技術及び慣習」、2023年の「金属（金、銀、銅）に彫刻を施す芸術、技術、および実践」と「パレスチナの伝統舞踊、ダブケ」です。

　世界の記憶については、選定されているものはありません。

　尚、ヨルダン川に近い要害の地に造られた城郭都市のエルサレム、世界三大宗教であるユダヤ教、キリスト教、イスラム教の聖地として有名で、アラビア語の「アル・クドゥス」(聖なる都市)の名で知られています。

　「エルサレムの旧市街とその城壁」は、1981年にヨルダンの推薦によって、「世界遺産リスト」に登録されますが、どこの国にも属さず単独で扱われています。また、民族紛争、無秩序な都市開発、観光圧力、維持管理不足などによる破壊の危険から1982年に「危機にさらされている世界遺産リスト」(通称★危機遺産リスト)に登録されています。

　2023年10月7日、イスラム組織ハマス等のパレスチナ武装勢力が、パレスチナ自治区ガザ地区からイスラエルに数千発のロケット弾を発射。更に、1500名規模がイスラエル側検問・境界を破って、イスラエル軍 （IDF）兵士の他、外国人を含む市民を殺害・誘拐。これらを受けて、イスラエル国防軍がガザ地区において軍事作戦を実施して戦争になり被害が拡大しています。

　一刻も和平が望まれますが、民族も宗教も異なるイスラエルとパレスチナは、今後、どうあるべきなのかが問われています。アメリカのバイデン大統領が提案している様に、イスラエル国（首都西エルサレム）とパレスチナ国（首都東エルサレム）の2国家共存が望ましいと思います。

　イスラエルは、2017年にユネスコを脱退したが復帰させ、パレスチナの国連加盟（現在はオブザーバー）も独立国家として正式に認めるべきです。

　世界遺産の「エルサレムの旧市街とその城壁」もイスラエルとパレスチナの複数国が管理する世界遺産とすれば、危機遺産リストからも解除できると思うのです。

　今回、「世界遺産ガイド－イスラエルとパレスチナ編－」を発刊する動機になったのは、昨年、出版した「世界遺産ガイド－ウクライナ編－」と同様に、戦争によって、かけがえのない世界遺産、世界無形文化遺産、それに、世界の記憶などが破壊されたり焼失することを、大変危惧しており緊急保護が必要です。

はじめに

※世界遺産委員会別歴代議長

回次	開催年	開催都市（国名）	議長名（国名）
第1回	1977年	パリ（フランス）	Mr Firouz Bagherzadeh (Iran)
第2回	1978年	ワシントン（米国）	Mr Firouz Bagherzadeh (Iran)
第3回	1979年	ルクソール（エジプト）	Mr David Hales (U.S.A)
第4回	1980年	パリ（フランス）	Mr Michel Parent (France)
第5回	1981年	シドニー（オーストラリア）	Prof R.O.Slatyer (Australia)
第6回	1982年	パリ（フランス）	Prof R.O.Slatyer (Australia)
第7回	1983年	フィレンツェ（イタリア）	Mrs Vlad Borrelli (Italia)
第8回	1984年	ブエノスアイレス（アルゼンチン）	Mr Jorge Gazaneo (Argentina)
第9回	1985年	パリ（フランス）	Mr Amini Aza Mturi (United Republic of Tanzania)
第10回	1986年	パリ（フランス）	Mr James D. Collinson (Canada)
第11回	1987年	パリ（フランス）	Mr James D. Collinson (Canada)
第12回	1988年	ブラジリア（ブラジル）	Mr Augusto Carlo da Silva Telles (Brazil)
第13回	1989年	パリ（フランス）	Mr Azedine Beschaouch (Tunisia)
第14回	1990年	バンフ（カナダ）	Dr Christina Cameron (Canada)
第15回	1991年	カルタゴ（チュジニア）	Mr Azedine Beschaouch (Tunisia)
第16回	1992年	サンタフェ（米国）	Ms Jennifer Salisbury (United States of America)
第17回	1993年	カルタヘナ（コロンビア）	Ms Olga Pizano (Colombia)
第18回	1994年	プーケット（タイ）	Dr Adul Wichiencharoen (Thailand)
第19回	1995年	ベルリン（ドイツ）	Mr Horst Winkelmann (Germany)
第20回	1996年	メリダ（メキシコ）	Ms Maria Teresa Franco y Gonzalez Salas (Mexico)
第21回	1997年	ナポリ（イタリア）	Prof Francesco Francioni (Italy)
第22回	1998年	京都（日本）	H.E. Mr Koichiro Matsuura (Japan)
第23回	1999年	マラケシュ（モロッコ）	Mr Abdelaziz Touri (Morocco)
第24回	2000年	ケアンズ（オーストラリア）	Mr Peter King (Australia)
第25回	2001年	ヘルシンキ（フィンランド）	Mr Henrik Lilius (Finland)
第26回	2002年	ブダペスト（ハンガリー）	Dr Tamas Fejerdy (Hungary)
第27回	2003年	パリ（フランス）	Ms Vera Lacoeuilhe (Saint Lucia)
第28回	2004年	蘇州（中国）	Mr Zhang Xinsheng (China)
第29回	2005年	ダーバン（南アフリカ）	Mr Themba P. Wakashe (South Africa)
第30回	2006年	ヴィリニュス（リトアニア）	H.E. Mrs Ina Marciulionyte (Lithuania)
第31回	2007年	クライストチャーチ（ニュージーランド）	Mr Tumu Te Heuheu (New Zealand)
第32回	2008年	ケベック（カナダ）	Dr Christina Cameron (Canada)
第33回	2009年	セビリア（スペイン）	Ms Maria Jesus San Segundo (Spain)
第34回	2010年	ブラジリア（ブラジル）	Mr Joao Luiz Silva Ferreira (Brazil)
第35回	2011年	パリ（フランス）	H.E. Mrs Mai Bint Muhammad Al Khalifa (Bahrain)
第36回	2012年	サンクトペテルブルク（ロシア）	H.E. Mrs Mitrofanova Eleonora (Russian Federation)
第37回	2013年	プノンペン（カンボジア）	Mr Sok An (Cambodia)
第38回	2014年	ドーハ（カタール）	H.E. Mrs Sheikha Al Mayassa Bint Hamad Bin Khalifa Al Thani (Qatar)
第39回	2015年	ボン（ドイツ）	Prof Maria Bohmer (Germany)
第40回	2016年	イスタンブール（トルコ）パリ（フランス）	Ms Lale Ulker (Turkey)
第41回	2017年	クラクフ（ポーランド）	Mr Jacek Purchla (Poland)
第42回	2018年	マナーマ（バーレーン）	Sheikha Haya Rashed Al Khalifa (Bahrain)
第43回	2019年	バクー（アゼルバイジャン）	Mr. Abulfaz Garayev (Azerbaijan)
第44回	2021年	福州（中国）	H.E.Mr.Tian Xuejun(China)
臨　時	2023年	パリ（フランス）	H.H Princess Haifa Al Mogrin(Saudi Arabia)
第45回	2023年	リヤド（サウジアラビア）	Dr. Abdulelah Al-Tokhais(Saudi Arabia)
第46回	2024年	ニュー・デリー（インド）	H.E. Mr Vishal V. Sharma(India)

ユネスコ世界遺産の概要

第45回世界遺産委員会拡大会合リヤド（サウジアラビア）会議2023

写真：サウジアラビアのDr. アブドゥーラ・アル・トカイス議長（左）
ユネスコのラザレ・エルンドゥ・アソモ世界遺産センター所長（右）

① ユネスコとは

ユネスコ（UNESCO＝United Nations Educational, Scientific and Cultural Organization）は、国連の教育、科学、文化分野の専門機関。人類の知的、倫理的連帯感の上に築かれた恒久平和を実現するために1946年11月4日に設立された。その活動領域は、教育、自然科学、人文・社会科学、文化、それに、コミュニケーション・情報。ユネスコ加盟国は、現在193か国、準加盟地域12。ユネスコ本部はフランスのパリにあり、世界各地に55か所の地域事務所がある。職員数は2,351人（うち邦人職員は58人）、2022〜2023年（2年間）の予算は、1,447,757,820米ドル（注：加盟国の分担金、任意拠出金等全ての資金の総額）。主要国分担率（＊2022年）は、中国（19.704％）、日本（10.377％　わが国分担金額：令令和4年度：約31億円）、ドイツ（7.894％）、英国（5.651％）、フランス（5.578％）。事務局長は、オードレイ・アズレー氏＊＊（Audrey Azoulay　フランス前文化通信大臣）。

＊日本は中国に次いで第2位の分担金拠出国（注：2018年に米国が脱退し、また、2019年〜2021年の新国連分担率により、2019年から中国が最大の分担金拠出国となった。）として、ユネスコに財政面から貢献するとともに、ユネスコの管理・運営を司る執行委員会委員国として、ユネスコの管理運営に直接関与している。

＊＊1972年パリ生まれ、パリ政治学院、フランス国立行政学院（ENA）、パリ大学に学ぶ。フランス国立映画センター（CNC）、大統領官邸文化広報顧問等重要な役職を務め、フランスの国際放送の立ち上げや公共放送の改革などに取り組むなど文化行政にかかわり、文化通信大臣を務める。2017年3月のイタリアのフィレンツェでの第1回G7文化大臣会合での文化遺産保護（特に武力紛争下における保護）の重要性など「国民間の対話の手段としての文化」に関する会合における「共同宣言」への署名などに主要な役割を果たし、2017年11月、イリーナ・ボコヴァ氏に続く女性としては二人目、フランス出身のユネスコ事務局長は1962〜1974年まで務めたマウ氏に続いて2人目のユネスコ事務局長に就任。

<ユネスコの歴代事務局長>

	出身国	在任期間
1. ジュリアン・ハクスリー	イギリス	1946年12月〜1948年12月
2. ハイメ・トレス・ボデー	メキシコ	1948年12月〜1952年12月
（代理）ジョン・W・テイラー	アメリカ	1952年12月〜1953年 7月
3. ルーサー・H・エバンス	アメリカ	1953年 7月〜1958年12月
4. ヴィットリーノ・ヴェロネーゼ	イタリア	1958年12月〜1961年11月
5. ルネ・マウ	フランス	1961年11月〜1974年11月
6. アマドゥ・マハタール・ムボウ	セネガル	1974年11月〜1987年11月
7. フェデリコ・マヨール	スペイン	1987年11月〜1999年11月
8. 松浦晃一郎	日本	1999年11月〜2009年11月
9. イリーナ・ボコヴァ	ブルガリア	2009年11月〜2017年11月
10. オードレイ・アズレー	フランス	2017年11月〜現在

ユネスコの事務局長選挙は、58か国で構成する執行委員会が実施し、過半数である30か国の支持を得た候補者が当選する。
投票は当選者が出るまで連日行われ、決着がつかない場合は上位2人が決選投票で勝敗を決める。
ユネスコ総会での信任投票を経て、就任する。任期は4年。

② 世界遺産とは

世界遺産（World Heritage）とは、世界遺産条約に基づきユネスコの世界遺産リストに登録されている世界的に「顕著な普遍的価値」（Outstanding Universal Value）を有する遺跡、建造物群、モニュメントなどの文化遺産、それに、自然景観、地形・地質、生態系、生物多様性などの自然遺産など国家や民族を超えて未来世代に引き継いでいくべき人類共通のかけがえのない自然と文化の遺産をいう。

③ ユネスコ世界遺産が準拠する国際条約

世界の文化遺産及び自然遺産の保護に関する条約（通称：**世界遺産条約**）
(Convention for the Protection of the World Cultural and Natural Heritage)
<1972年11月開催の第17回ユネスコ総会で採択>

＊ユネスコの世界遺産に関する基本的な考え方は、世界遺産条約にすべて反映されているが、この世界遺産条約を円滑に履行していくためのガイドライン（Operational Guidelines for the Implementation of the World Heritage Convention）を設け、その中で世界遺産リストの登録基準、或は、危機にさらされている世界遺産リストの登録基準や世界遺産基金の運用などについて細かく定めている。

④世界遺産条約の成立の経緯とその後の展開

1872年	アメリカ合衆国が、世界で最初の国立公園法を制定。イエローストーンが世界最初の国立公園になる。
1948年	IUCN（国際自然保護連合）が発足。
1954年	ハーグで「軍事紛争における文化財の保護のための条約」を採択。
1959年	アスワン・ハイ・ダムの建設（1970年完成）でナセル湖に水没する危機にさらされたエジプトのヌビア遺跡群の救済を目的としたユネスコの国際的キャンペーン。文化遺産保護に関する条約の草案づくりを開始。
〃	ICCROM（文化財保存修復研究国際センター）が発足。
1962年	IUCN第1回世界公園会議、アメリカのシアトルで開催、「国連保護地域リスト」（United Nations List of Protected Areas）の整備。
1960年代半ば	アメリカ合衆国や国連環境会議などを中心にした自然遺産保護に関する条約の模索と検討。
1964年	ヴェネツィア憲章採択。
1965年	ICOMOS（国際記念物遺跡会議）が発足。
1965年	米国ホワイトハウス国際協力市民会議「世界遺産トラスト」（World Heritage Trust）の提案。
1966年	スイス・ルッツェルンでの第9回IUCN・国際自然保護連合の総会において、世界的な価値のある自然地域の保護のための基金の創設について議論。
1967年	アムステルダムで開催された国際会議で、アメリカ合衆国が自然遺産と文化遺産を総合的に保全するための「世界遺産トラスト」を設立することを提唱。
1970年	「文化財の不正な輸入、輸出、および所有権の移転を禁止、防止する手段に関する条約」を採択。
1971年	ニクソン大統領、1972年のイエローストーン国立公園100周年を記念し、「世界遺産トラスト」を提案（ニクソン政権に関するメッセージ）、この後、IUCN（国際自然保護連合）とユネスコが世界遺産の概念を具体化するべく世界遺産条約の草案を作成。
〃	ユネスコとICOMOS（国際記念物遺跡会議）による「普遍的価値を持つ記念物、建造物群、遺跡の保護に関する条約案」提示。
1972年	ユネスコはアメリカの提案を受けて、自然・文化の両遺産を統合するための専門家会議を開催、これを受けて両草案はひとつにまとめられた。
〃	ストックホルムで開催された国連人間環境会議で条約の草案報告。
〃	パリで開催された第17回ユネスコ総会において採択。
1975年	世界の文化遺産及び自然遺産の保護に関する条約発効。
1977年	第1回世界遺産委員会がパリにて開催される。
1978年	第2回世界遺産委員会がワシントンにて開催される。イエローストーン、メサ・ヴェルデ、ナハニ国立公園、ランゾーメドーズ国立歴史公園、ガラパゴス諸島、キト、アーヘン大聖堂、ヴィエリチカ塩坑、クラクフの歴史地区、シミエン国立公園、ラリベラの岩の教会、ゴレ島の12物件が初の世界遺産として登録される。（自然遺産4　文化遺産8）
1989年	日本政府、日本信託基金をユネスコに設置。
1992年	ユネスコ事務局長、ユネスコ世界遺産センターを設立。
1996年	IUCN第1回世界自然保護会議、カナダのモントリオールで開催。
2000年	ケアンズ・デシジョンを採択。
2002年	国連文化遺産年。
〃	ブダペスト宣言採択。
〃	世界遺産条約採択30周年。
2004年	蘇州デシジョンを採択。
2006年	無形遺産の保護に関する条約が発効。

ユネスコ世界遺産の概要

〃	ユネスコ創設60周年。
2007年	文化的表現の多様性の保護および促進に関する条約が発効。
2009年	水中文化遺産保護に関する条約が発効。
2011年	第18回世界遺産条約締約国総会で「世界遺産条約履行の為の戦略的行動計画2012～2022」を決議。
2012年	世界遺産条約採択40周年記念行事 メイン・テーマ「世界遺産と持続可能な発展：地域社会の役割」
2015年	平和の大切さを再認識する為の「世界遺産に関するボン宣言」を採択。
2016年10月24～26日	第40回世界遺産委員会イスタンブール会議は、不測の事態で3日間中断、未審議となっていた登録範囲の拡大など境界変更の申請、オペレーショナル・ガイドラインズの改訂など懸案事項の審議を、パリのユネスコ本部で再開。
2017年	世界遺産条約締約国数　193か国（8月現在）
2017年10月5～6日	ドイツのハンザ都市リューベックで第3回ヨーロッパ世界遺産協会の会議。
2018年9月10日	「モスル精神の復活：モスル市の復興の為の国際会議」をユネスコ本部で開催。
2021年7月	第44回世界遺産委員会福州会議から、新登録に関わる登録推薦件数は1国1件、審査件数の上限は35になった。
2021年7月18日	世界遺産保護と国際協力の重要性を宣言する「福州宣言」を採択。
2022年	世界遺産条約採択50周年
2030年	持続可能な開発目標（SDGs）17ゴール

5 世界遺産条約の理念と目的

　「顕著な普遍的価値」（Outstanding Universal Value）を有する自然遺産および文化遺産を人類全体のための世界遺産として、破壊、損傷等の脅威から保護・保存することが重要であるとの観点から、国際的な協力および援助の体制を確立することを目的としている。

6 世界遺産条約の主要規定

- 保護の対象は、遺跡、建造物群、記念工作物、自然の地域等で普遍的価値を有するもの（第1～3条）。
- 締約国は、自国内に存在する遺産を保護する義務を認識し、最善を尽くす（第4条）。
  また、自国内に存在する遺産については、保護に協力することが国際社会全体の義務であることを認識する（第6条）。
- 「世界遺産委員会」（委員国は締約国から選出）の設置（第8条）。「世界遺産委員会」は、各締約国が推薦する候補物件を審査し、その結果に基づいて「世界遺産リスト」、また、大規模災害、武力紛争、各種開発事業、それに、自然環境の悪化などの事由で、極度な危機にさらされ緊急の救済措置が必要とされる物件は「危機にさらされている世界遺産リスト」を作成する。（第11条）。
- 締約国からの要請に基づき、「世界遺産リスト」に登録された物件の保護のための国際的援助の供与を決定する。同委員会の決定は、出席しかつ投票する委員国の2／3以上の多数による議決で行う（第13条）。
- 締約国の分担金（ユネスコ分担金の1％を超えない額）、および任意拠出金、その他の寄付金等を財源とする、「世界遺産」のための「世界遺産基金」を設立（第15条、第16条）。
- 「世界遺産委員会」が供与する国際的援助は、調査・研究、専門家派遣、研修、機材供与、資金協力等の形をとる（第22条）。
- 締約国は、自国民が「世界遺産」を評価し尊重することを強化するための教育・広報活動に努める（第27条）。

⑦ 世界遺産条約の事務局と役割

ユネスコ世界遺産センター（UNESCO World Heritage Centre）

　所長：ラザレ・エルンドゥ・アソモ（Mr.Lazare Eloundou Assomo　2021年12月～

　　　　（専門分野　建築学、都市計画など

　　　　2014年からユネスコ・バマコ（マリ）事務所長、2016年からユネスコ世界遺産

　　　　センター副所長、2021年12月から現職、カメルーン出身）

7 place de Fontenoy　75352 Paris 07 SP France　℡33-1-45681889　Fax 33-1-45685570

電子メール：**wh-info@unesco.org**　インターネット：**http://www.unesco.org/whc**

ユネスコ世界遺産センターは1992年にユネスコ事務局長によって設立され、ユネスコの組織では、現在、文化セクターに属している。スタッフ数、組織、主な役割と仕事は、次の通り。

＜スタッフ数＞　約60名

＜組織＞
　自然遺産課、政策、法制整備課、促進・広報・教育課、アフリカ課、アラブ諸国課、
　アジア・太平洋課、ヨーロッパ課、ラテンアメリカ・カリブ課、世界遺産センター事務部

＜主な役割と仕事＞
- 世界遺産ビューロー会議と世界遺産委員会の運営
- 締結国に世界遺産を推薦する準備のためのアドバイス
- 技術的な支援の管理
- 危機にさらされた世界遺産への緊急支援
- 世界遺産基金の運営
- 技術セミナーやワークショップの開催
- 世界遺産リストやデータベースの作成
- 世界遺産の理念を広報するための教育教材の開発。

＜ユネスコ世界遺産センターの歴代所長＞

	出身国	在任期間
●バーン・フォン・ドロステ（Bernd von Droste）	ドイツ	1992年～1999年
●ムニール・ブシュナキ（Mounir Bouchenaki）	アルジェリア	1999年～2000年
●フランチェスコ・バンダリン（Francesco Bandarin）	イタリア	2000年～2010年
●キショール・ラオ（Kishore Rao）	インド	2011年～2015年
●メヒティルト・ロスラー（Mechtild Rossler）	ドイツ	2015年～2021年
●ラザレ・エルンドゥアソモ（Lazare Eloundou Assomo）	カメルーン	2021年～

⑧ 世界遺産条約の締約国（195の国と地域）と世界遺産の数（168の国と地域 1199物件）

　2023年10月現在、168の国と地域1199件（**自然遺産 227件、文化遺産 933件、複合遺産 39件**）が、このリストに記載されている。また、大規模災害、武力紛争、各種開発事業、それに、自然環境の悪化などの事由で、極度な危機にさらされ緊急の救済措置が必要とされる物件は「**危機にさらされている世界遺産リスト**」（略称 危機遺産リスト 本書では、★**【危機遺産】**と表示）に登録され、2023年10月現在、56件(35の国と地域)が登録されている。

＜地域別・世界遺産条約締約日順＞　※地域分類は、ユネスコ世界遺産センターの分類に準拠。

＜アフリカ＞締約国（46か国）　※国名の前の番号は、世界遺産条約の締約順。

国　名	世界遺産条約締約日	自然遺産	文化遺産	複合遺産	合計	【うち危機遺産】
8 コンゴ民主共和国	1974年 9月23日 批准 (R)	5	0	0	5	(4)
9 ナイジェリア	1974年10月23日 批准 (R)	0	2	0	2	(0)
10 ニジェール	1974年12月23日 受諾 (Ac)	2 ＊[35]	1	0	3	(1)
16 ガーナ	1975年 7月 4日 批准 (R)	0	2	0	2	(0)
21 セネガル	1976年 2月13日 批准 (R)	2	5 ＊[18]	0	7	(1)
27 マリ	1977年 4月 5日 受諾 (Ac)	0	3	1	4	(3)
30 エチオピア	1977年 7月 6日 批准 (R)	2	9	0	11	(0)
31 タンザニア	1977年 8月 2日 批准 (R)	3	3	1	7	(1)
44 ギニア	1979年 3月18日 批准 (R)	1 ＊[2]	0	0	1	(1)
51 セイシェル	1980年 4月 9日 受諾 (Ac)	2	0	0	2	(0)
55 中央アフリカ	1980年12月22日 批准 (R)	2 ＊[26]	0	0	2	(1)
56 コートジボワール	1981年 1月 9日 批准 (R)	3 ＊[2]	2	0	5	(1)
61 マラウイ	1982年 1月 5日 批准 (R)	1	1	0	2	(0)
64 ブルンディ	1982年 5月19日 批准 (R)	0	0	0	0	(0)
65 ベナン	1982年 6月14日 批准 (R)	1 ＊[35]	2	0	3	(0)
66 ジンバブエ	1982年 8月16日 批准 (R)	2 ＊[1]	3	0	5	(0)
68 モザンビーク	1982年11月27日 批准 (R)	0	1	0	1	(0)
69 カメルーン	1982年12月 7日 批准 (R)	2 ＊[26]	0	0	2	(0)
74 マダガスカル	1983年 7月19日 批准 (R)	2	1	0	3	(1)
80 ザンビア	1984年 6月 4日 批准 (R)	1 ＊[1]	0	0	1	(0)
90 ガボン	1986年12月30日 批准 (R)	1	0	1	2	(0)
93 ブルキナファソ	1987年 4月 2日 批准 (R)	1 ＊[35]	2	0	3	(0)
94 ガンビア	1987年 7月 1日 批准 (R)	0	2 ＊[18]	0	2	(0)
97 ウガンダ	1987年11月20日 受諾 (Ac)	2	1	0	3	(1)
98 コンゴ	1987年12月10日 批准 (R)	2 ＊[26]	0	0	2	(0)
100 カーボヴェルデ	1988年 4月28日 受諾 (Ac)	0	1	0	1	(0)
115 ケニア	1991年 6月 5日 受諾 (Ac)	3	4	0	7	(0)
120 アンゴラ	1991年11月 7日 批准 (R)	0	1	0	1	(0)
143 モーリシャス	1995年 9月19日 批准 (R)	0	2	0	2	(0)
149 南アフリカ	1997年 7月10日 批准 (R)	4	5	1 ＊[28]	10	(0)
152 トーゴ	1998年 4月15日 受諾 (Ac)	0	1	0	1	(0)
155 ボツワナ	1998年11月23日 受諾 (Ac)	1	1	0	2	(0)
156 チャド	1999年 6月23日 批准 (R)	1	0	1	2	(0)
158 ナミビア	2000年 4月 6日 受諾 (Ac)	1	1	0	2	(0)
160 コモロ	2000年 9月27日 批准 (R)	0	0	0	0	(0)
161 ルワンダ	2000年12月28日 受諾 (Ac)	1	1	0	2	(0)
167 エリトリア	2001年10月24日 受諾 (Ac)	0	1	0	1	(0)
168 リベリア	2002年 3月28日 受諾 (Ac)	0	0	0	0	(0)
177 レソト	2003年11月25日 受諾 (Ac)			1 ＊[28]	1	(0)
179 シエラレオネ	2005年 1月 7日 批准 (R)	0	0	0	0	(0)
181 スワジランド	2005年11月30日 批准 (R)	0	0	0	0	(0)
182 ギニア・ビサウ	2006年 1月28日 批准 (R)	0	0	0	0	(0)
184 サントメ・プリンシペ	2006年 7月25日 批准 (R)	0	0	0	0	(0)
185 ジブチ	2007年 8月30日 批准 (R)	0	0	0	0	(0)
187 赤道ギニア	2010年 3月10日 批准 (R)	0	0	0	0	(0)
192 南スーダン	2016年 3月 9日 批准 (R)	0	0	0	0	(0)
合計	36か国	42	56	5	103	(15)
（　）内は複数国にまたがる物件		(4)	(2)	(1)	(7)	(1)

＜アラブ諸国＞締約国（20の国と地域）　※国名の前の番号は、世界遺産条約の締約順。

国　名	世界遺産条約締約日	自然遺産	文化遺産	複合遺産	合計	【うち危機遺産】
2 エジプト	1974年 2月 7日 批准 (R)	1	6	0	7	(1)
3 イラク	1974年 3月 5日 受諾 (Ac)	0	5	1	6	(3)
5 スーダン	1974年 6月 6日 批准 (R)	1	2	0	3	(0)
6 アルジェリア	1974年 6月24日 批准 (R)	0	6	1	7	(0)
12 チュニジア	1975年 3月10日 批准 (R)	1	8	0	9	(0)
13 ヨルダン	1975年 5月 5日 批准 (R)	0	5	1	6	(1)
17 シリア	1975年 8月13日 受諾 (Ac)	0	6	0	6	(6)
20 モロッコ	1975年10月28日 批准 (R)	0	9	0	9	(0)
38 サウジアラビア	1978年 8月 7日 受諾 (Ac)	1	6	0	7	(0)
40 リビア	1978年10月13日 批准 (R)	0	5	0	5	(5)
54 イエメン	1980年10月 7日 批准 (R)	1	4	0	5	(4)
57 モーリタニア	1981年 3月 2日 批准 (R)	1	1	0	2	(0)
60 オマーン	1981年10月 6日 受諾 (Ac)	0	5	0	5	(0)
70 レバノン	1983年 2月 3日 批准 (R)	0	6	0	6	(1)
81 カタール	1984年 9月12日 受諾 (Ac)	0	1	0	1	(0)
114 バーレーン	1991年 5月28日 批准 (R)	0	3	0	3	(0)
163 アラブ首長国連邦	2001年 5月11日 加入 (A)	0	1	0	1	(0)
171 クウェート	2002年 6月 6日 批准 (R)	0	0	0	0	(0)
189 パレスチナ	2011年12月 8日 批准 (R)	0	4	0	4	(3)
194 ソマリア	2020年 7月23日 批准 (R)	0	0	0	0	(0)
合計	18の国と地域	6	84	3	93	(23)
（　）内は複数国にまたがる物件		(0)	(0)	(0)	(0)	

＜アジア・太平洋＞締約国（45か国）　※国名の前の番号は、世界遺産条約の締約順。

国　名	世界遺産条約締約日	自然遺産	文化遺産	複合遺産	合計	【うち危機遺産】
7 オーストラリア	1974年 8月22日 批准 (R)	12	4	4	20	(0)
11 イラン	1975年 2月26日 受諾 (Ac)	2	25	0	27	(0)
24 パキスタン	1976年 7月23日 批准 (R)	0	6	0	6	(0)
34 インド	1977年11月14日 批准 (R)	8	33 ＊ 33	1	42	(0)
36 ネパール	1978年 6月20日 受諾 (Ac)	2	2	0	4	(0)
45 アフガニスタン	1979年 3月20日 批准 (R)	0	2	0	2	(2)
52 スリランカ	1980年 6月 6日 受諾 (Ac)	2	6	0	8	(0)
75 バングラデシュ	1983年 8月 3日 受諾 (Ac)	1	2	0	3	(0)
82 ニュージーランド	1984年11月22日 批准 (R)	2	0	1	3	(0)
86 フィリピン	1985年 9月19日 批准 (R)	3	3	0	6	(0)
87 中国	1985年12月12日 批准 (R)	14	39 ＊ 30	4	57	(0)
88 モルジブ	1986年 5月22日 受諾 (Ac)	0	0	0	0	(0)
92 ラオス	1987年 3月20日 批准 (R)	0	3	0	3	(0)
95 タイ	1987年 9月17日 受諾 (Ac)	3	4	0	7	(0)
96 ヴェトナム	1987年10月19日 受諾 (Ac)	2	5	1	8	(0)
101 韓国	1988年 9月14日 受諾 (Ac)	2	14	0	16	(0)
105 マレーシア	1988年12月 7日 批准 (R)	2	2	0	4	(0)
107 インドネシア	1989年 7月 6日 受諾 (Ac)	4	6	0	10	(1)
109 モンゴル	1990年 2月 2日 受諾 (Ac)	2 ＊ 13 37	4	0	6	(0)
113 フィジー	1990年11月21日 批准 (R)	0	1	0	1	(0)
121 カンボジア	1991年11月28日 受諾 (Ac)	0	4	0	4	(0)
123 ソロモン諸島	1992年 6月10日 加入 (A)	1	0	0	1	(1)
124 日本	1992年 6月30日 受諾 (Ac)	5	20 ＊ 33	0	25	(0)

ユネスコ世界遺産の概要

ユネスコ世界遺産の概要

番号	国名	世界遺産条約締約日		自然遺産	文化遺産	複合遺産	合計	うち危機遺産
127	タジキスタン	1992年 8月28日	承継の通告(S)	2	3	0	5	(0)
131	ウズベキスタン	1993年 1月13日	承継の通告(S)	2＊32	5	0	7	(1)
137	ミャンマー	1994年 4月29日	受諾 (Ac)	0	2	0	2	(0)
138	カザフスタン	1994年 4月29日	受諾 (Ac)	3＊32	3＊30	0	6	(0)
139	トルクメニスタン	1994年 9月30日	承継の通告(S)	1	4	0	5	(0)
142	キルギス	1995年 7月 3日	受諾 (Ac)	1＊32	2＊30	0	3	(0)
150	パプア・ニューギニア	1997年 7月28日	受諾 (Ac)	0	1	0	1	(0)
153	朝鮮民主主義人民共和国	1998年 7月21日	受諾 (Ac)	0	2	0	2	(0)
159	キリバス	2000年 5月12日	受諾 (Ac)	1	0	0	1	(0)
162	ニウエ	2001年 1月23日	受諾 (Ac)	0	0	0	0	(0)
164	サモア	2001年 8月28日	受諾 (Ac)	0	0	0	0	(0)
166	ブータン	2001年10月22日	批准 (R)	0	0	0	0	(0)
170	マーシャル諸島	2002年 4月24日	受諾 (Ac)	0	1	0	1	(0)
172	パラオ	2002年 6月11日	受諾 (Ac)	0	0	1	1	(0)
173	ヴァヌアツ	2002年 6月13日	批准 (R)	0	1	0	1	(0)
174	ミクロネシア連邦	2002年 7月22日	受諾 (Ac)	0	0	1	1	(1)
178	トンガ	2004年 4月30日	受諾 (Ac)	0	0	0	0	(0)
186	クック諸島	2009年 1月16日	批准 (R)	0	0	0	0	(0)
188	ブルネイ	2011年 8月12日	批准 (R)	0	0	0	0	(0)
190	シンガポール	2012年 6月19日	批准 (R)	0	1	0	1	(0)
193	東ティモール	2016年10月31日	批准 (R)	0	0	0	0	(0)
195	ツバル	2023年 5月18日	批准 (R)	0	0	0	0	(0)
	合計	36か国		72	205	12	289	(6)
	（　）内は複数国にまたがる物件			(5)	(3)		(8)	

＜ヨーロッパ・北米＞締約国（51か国）　※国名の前の番号は、世界遺産条約の締約順。

番号	国名	世界遺産条約締約日		自然遺産	文化遺産	複合遺産	合計	うち危機遺産
1	アメリカ合衆国	1973年12月 7日	批准 (R)	12＊6 7	12	1	25	(1)
4	ブルガリア	1974年 3月 7日	受諾 (Ac)	3＊20	7	0	10	(0)
15	フランス	1975年 6月27日	受諾 (Ac)	7	44＊1 25 33 42	1＊10	52	(0)
18	キプロス	1975年 8月14日	受諾 (Ac)	0	3	0	3	(0)
19	スイス	1975年 9月17日	批准 (R)	4＊23	9＊21 25 33	0	13	(0)
22	ポーランド	1976年 6月29日	批准 (R)	2＊3	15＊14 29	0	17	(0)
23	カナダ	1976年 7月23日	受諾 (Ac)	10＊6 7	10	1	21	(0)
25	ドイツ	1976年 8月23日	批准 (R)	3＊20 22	49＊14 16 25 33 41 42 43	0	52	(0)
28	ノルウェー	1977年 5月12日	批准 (R)	1	7＊17	0	8	(0)
37	イタリア	1978年 6月23日	批准 (R)	6＊20 23	53＊5 21 25 36 42	0	59	(0)
41	モナコ	1978年11月 7日	批准 (R)	0	0	0	0	(0)
42	マルタ	1978年11月14日	受諾 (Ac)	0	3	0	3	(0)
47	デンマーク	1979年 7月25日	批准 (R)	3＊22	8	0	11	(0)
53	ポルトガル	1980年 9月30日	批准 (R)	1	16＊24	0	17	(0)
59	ギリシャ	1981年 7月17日	批准 (R)	0	17	2	19	(0)
63	スペイン	1982年 5月 4日	受諾 (Ac)	4＊20	44＊24 27	2＊10	50	(0)
67	ヴァチカン	1982年10月 7日	加入 (A)	0	2＊5	0	2	(0)
71	トルコ	1983年 3月16日	批准 (R)	0	19	2	21	(0)
76	ルクセンブルク	1983年 9月28日	批准 (R)	0	1	0	1	(0)
79	英国	1984年 5月29日	批准 (R)	4	28＊16 42	1	33	(0)
83	スウェーデン	1985年 1月22日	批准 (R)	1＊19	13＊17	1	15	(0)
85	ハンガリー	1985年 7月15日	受諾 (Ac)	1＊4	8＊12 41	0	9	(0)

	国名	世界遺産条約締約日		自然遺産	文化遺産	複合遺産	合計	(うち危機遺産)
91	フィンランド	1987年 3月 4日	批准 (R)	1 * [19]	6 * [17]	0	7	(0)
102	ベラルーシ	1988年10月12日	批准 (R)	1 * [3]	3 * [17]	0	4	(0)
103	ロシア連邦	1988年10月12日	批准 (R)	11 * [13]	20 * [11] [17]	0	31	(0)
104	ウクライナ	1988年10月12日	批准 (R)	1 * [20]	7 * [17] [29]	0	8	(1)
108	アルバニア	1989年 7月10日	批准 (R)	1 * [20]	2	1	4	(0)
110	ルーマニア	1990年 5月16日	受諾 (Ac)	2 * [20]	7	0	9	(1)
116	アイルランド	1991年 9月16日	批准 (R)	0	2	0	2	(0)
119	サン・マリノ	1991年10月18日	批准 (R)	0	1	0	1	(0)
122	リトアニア	1992年 3月31日	受諾 (Ac)	0	5 * [11] [17]	0	5	(0)
125	クロアチア	1992年 7月 6日	承継の通告 (S)	2 * [20]	8 * [34] [36]	0	10	(0)
126	オランダ	1992年 8月26日	受諾 (Ac)	1 * [22]	12 [40] [43]	0	13	(0)
128	ジョージア	1992年11月 4日	承継の通告 (S)	1	3	0	4	(0)
129	スロヴェニア	1992年11月 5日	承継の通告 (S)	2 * [20]	3 * [25] [27]	0	5	(0)
130	オーストリア	1992年12月18日	批准 (R)	1 * [20]	11 * [12] [25] [41] [42]	0	12	(1)
132	チェコ	1993年 3月26日	承継の通告 (S)	1	16 * [42]	0	17	(0)
133	スロヴァキア	1993年 3月31日	承継の通告 (S)	2 * [4] [20]	6 [41]	0	8	(0)
134	ボスニア・ヘルツェゴヴィナ	1993年 7月12日	承継の通告 (S)	1	3 * [34]	0	4	(0)
135	アルメニア	1993年 9月 5日	承継の通告 (S)	0	3	0	3	(0)
136	アゼルバイジャン	1993年12月16日	批准 (R)	0	3	0	4	(0)
140	ラトヴィア	1995年 1月10日	受諾 (Ac)	0	3 * [17]	0	3	(0)
144	エストニア	1995年10月27日	批准 (R)	0	2 * [17]	0	3	(0)
145	アイスランド	1995年12月19日	批准 (R)	2	1	0	3	(0)
146	ベルギー	1996年 7月24日	批准 (R)	1 * [20]	15 * [15] [33] [40] [42]	0	16	(0)
147	アンドラ	1997年 1月 3日	受諾 (Ac)	0	1	0	1	(0)
148	北マケドニア	1997年 4月30日	承継の通告 (S)	1	0	1	2	(0)
157	イスラエル	1999年10月 6日	受諾 (Ac)	0	9	0	9	(0)
165	セルビア	2001年 9月11日	承継の通告 (S)	0	5 * [34]	0	5	(1)
175	モルドヴァ	2002年 9月23日	批准 (R)	0	1 * [17]	0	1	(0)
183	モンテネグロ	2006年 6月 3日	承継の通告 (S)	1	3 * [34] [36]	0	4	(0)
	合計	50か国		69	485	11	565	(5)
		( ) 内は複数国にまたがる物件		(12)	(16)	(2)		(30)

<ラテンアメリカ・カリブ> 締約国 (33か国)　※国名の前の番号は、世界遺産条約の締約順。

	国名	世界遺産条約締約日		自然遺産	文化遺産	複合遺産	合計	(うち危機遺産)
14	エクアドル	1975年 6月16日	受諾 (Ac)	2	3 * [31]	0	5	(0)
26	ボリヴィア	1976年10月 4日	批准 (R)	1	6 * [31]	0	7	(1)
29	ガイアナ	1977年 6月20日	受諾 (Ac)	0	0	0	0	(0)
32	コスタリカ	1977年 8月23日	批准 (R)	3 * [8]	1	0	4	(0)
33	ブラジル	1977年 9月 1日	受諾 (Ac)	7	15 * [9]	1	23	(0)
35	パナマ	1978年 3月 3日	批准 (R)	3 * [8]	2	0	5	(1)
39	アルゼンチン	1978年 8月23日	受諾 (Ac)	5	7 * [9] [31] [33]	0	12	(0)
43	グアテマラ	1979年 1月16日	批准 (R)	0	3	1	4	(0)
46	ホンジュラス	1979年 6月 8日	批准 (R)	1	1	0	2	(1)
48	ニカラグア	1979年12月17日	受諾 (Ac)	0	2	0	2	(0)
49	ハイチ	1980年 1月18日	批准 (R)	0	1	0	1	(0)
50	チリ	1980年 2月20日	批准 (R)	0	7 * [31]	0	7	(1)
58	キューバ	1981年 3月24日	批准 (R)	2	7	0	9	(0)
62	ペルー	1982年 2月24日	批准 (R)	2	9 * [31]	2	13	(1)
72	コロンビア	1983年 5月24日	受諾 (Ac)	2	6 * [31]	1	9	(0)

ユネスコ世界遺産の概要

					自然遺産	文化遺産	複合遺産	合計	うち危機遺産
73	ジャマイカ	1983年 6月14日	受諾	(Ac)	0	0	1	1	(0)
77	アンチグア・バーブーダ	1983年11月 1日	受諾	(Ac)	0	1	0	1	(0)
78	メキシコ	1984年 2月23日	受諾	(Ac)	6	27	2	35	(1)
84	ドミニカ共和国	1985年 2月12日	批准	(R)	0	1	0	1	(0)
89	セントキッツ・ネイヴィース	1986年 7月10日	受諾	(Ac)	0	1	0	1	(0)
99	パラグアイ	1988年 4月27日	批准	(R)	0	1	0	1	(0)
106	ウルグアイ	1989年 3月 9日	受諾	(Ac)	0	3	0	3	(0)
111	ヴェネズエラ	1990年10月30日	受諾	(Ac)	1	2	0	3	(0)
112	ベリーズ	1990年11月 6日	批准	(R)	1	0	0	1	(1)
117	エルサルバドル	1991年10月 8日	受諾	(Ac)	0	1	0	1	(0)
118	セントルシア	1991年10月14日	批准	(R)	1	0	0	1	(0)
141	ドミニカ国	1995年 4月 4日	批准	(R)	1	0	0	1	(0)
151	スリナム	1997年10月23日	受諾	(Ac)	1	2	0	3	(0)
154	グレナダ	1998年 8月13日	受諾	(Ac)	0	0	0	0	(0)
169	バルバドス	2002年 4月 9日	受諾	(Ac)	0	1	0	1	(0)
176	セント・ヴィンセントおよびグレナディーン諸島	2003年 2月 3日	批准	(R)	0	0	0	0	(0)
180	トリニダード・トバゴ	2005年 2月16日	批准	(R)	0	0	0	0	(0)
191	バハマ	2014年 5月15日	批准	(R)	0	0	0	0	(0)
	合計	28か国			38	103	8	149	(6)
	（　）内は複数国にまたがる物件				(1)	(2)		(3)	

		自然遺産	文化遺産	複合遺産	合計	【うち危機遺産】
総合計	168の国と地域	227	933	39	1199	(56)
		(18)	(27)	(3)	(48)	(1)

(注)「批准」とは、いったん署名された条約を、署名した国がもち帰って再検討し、その条約に拘束されることについて、最終的、かつ、正式に同意すること。批准された条約は、批准書を寄託者に送付することによって正式に効力をもつ。多数国条約の寄託者は、それぞれの条約で決められるが、世界遺産条約は、国連教育科学文化機関（ユネスコ）事務局長を寄託者としている。「批准」、「受諾」、「加入」のどの手続きをとる場合でも、「条約に拘束されることについての国の同意」としての効果は同じだが、手続きの複雑さが異なる。この条約の場合、「批准」、「受諾」は、ユネスコ加盟国がこの条約に拘束されることに同意する場合、「加入」は、ユネスコ非加盟国が同意する場合にそれぞれ用いる手続き。「批准」と他の2つの最大の違いは、わが国の場合、天皇による認証という手順を踏むこと。「受諾」、「承認」、「加入」の3つは、手続的には大きな違いはなく、基本的には寄託する文書の書式、タイトルが違うだけである。

(注) ＊複数国にまたがる世界遺産(内複数地域にまたがるもの　3件)

①モシ・オア・トゥニャ（ヴィクトリア瀑布）	自然遺産	ザンビア、ジンバブエ	
②ニンバ山厳正自然保護区	自然遺産	ギニア、コートジボワール	★【危機遺産】
③ビャウォヴィエジャ森林	自然遺産	ベラルーシ、ポーランド	
④アグテレック・カルストとスロヴァキア・カルストの鍾乳洞群	自然遺産	ハンガリー、スロヴァキア	
⑤ローマ歴史地区、教皇領とサンパオロ・フォーリ・レ・ムーラ大聖堂	文化遺産	イタリア、ヴァチカン	
⑥クルエーン／ランゲルーセントエライアス／グレーシャーベイ／タッシェンシニ・アルセク	自然遺産	カナダ、アメリカ合衆国	
⑦ウォータートン・グレーシャー国際平和自然公園	自然遺産	カナダ、アメリカ合衆国	
⑧タラマンカ地方－ラ・アミスター保護区群／ラ・アミスター国立公園	自然遺産	コスタリカ、パナマ	
⑨グアラニー人のイエズス会伝道所	文化遺産	アルゼンチン、ブラジル	
⑩ピレネー地方－ペルデュー山	複合遺産	フランス、スペイン	

⑮ベルギーとフランスの鐘楼群	文化遺産	ベルギー、フランス
⑯ローマ帝国の国境界線	文化遺産	英国、ドイツ
⑰シュトルーヴェの測地弧	文化遺産	ノルウェー、スウェーデン、フィンランド、エストニア、ラトヴィア、リトアニア、ロシア連邦、ベラルーシ、ウクライナ、モルドヴァ
⑱セネガンビアの環状列石群	文化遺産	ガンビア、セネガル
⑲ハイ・コースト／クヴァルケン群島	自然遺産	スウェーデン、フィンランド
⑳カルパチア山脈とヨーロッパの他の地域の原生ブナ林群	自然遺産	アルバニア、オーストリア、ベルギー、ボスニアヘルツェゴビナ、ブルガリア、クロアチア、チェコ、フランス、ドイツ、イタリア、北マケドニア、ポーランド、ルーマニア、スロヴェニア、スロヴァキア、スペイン、スイス、ウクライナ
㉑レーティシェ鉄道アルブラ線とベルニナ線の景観群	文化遺産	イタリア、スイス
㉒ワッデン海	自然遺産	ドイツ、オランダ
㉓モン・サン・ジョルジオ	自然遺産	イタリア、スイス
㉔コア渓谷とシエガ・ヴェルデの先史時代の岩壁画	文化遺産	ポルトガル、スペイン
㉕アルプス山脈周辺の先史時代の杭上住居群	文化遺産	スイス、オーストリア、フランス、ドイツ、イタリア、スロヴェニア
㉖サンガ川の三か国流域	自然遺産	コンゴ、カメルーン、中央アフリカ
㉗水銀の遺産、アルマデン鉱山とイドリャ鉱山	文化遺産	スペイン、スロヴェニア
㉘マロティ－ドラケンスバーグ公園	複合遺産	南アフリカ、レソト
㉙ポーランドとウクライナのカルパチア地方の木造教会群	文化遺産	ポーランド、ウクライナ
㉚シルクロード：長安・天山回廊の道路網	文化遺産	カザフスタン、キルギス、中国
㉛カパック・ニャン、アンデス山脈の道路網	文化遺産	コロンビア、エクアドル、ペルー、ボリヴィア、チリ、アルゼンチン
㉜西天山	自然遺産	カザフスタン、キルギス、ウズベキスタン
㉝ル・コルビュジエの建築作品－近代化運動への顕著な貢献	文化遺産	フランス、スイス、ベルギー、ドイツ、インド、日本、アルゼンチン
㉞ステチェツィの中世の墓碑群 文化遺産	文化遺産	ボスニア・ヘルツェゴヴィナ、クロアチア、セルビア、モンテネグロ
㉟W・アルリ・ペンジャリ国立公園遺産群	自然遺産	ニジェール、ベナン、ブルキナファソ
㊱16〜17世紀のヴェネツィアの防衛施設群：スタート・ダ・テーラ-西スタート・ダ・マール	文化遺産	イタリア、クロアチア、モンテネグロ
㊲ダウリアの景観群	自然遺産	モンゴル、ロシア連邦
㊳オフリッド地域の自然・文化遺産	複合遺産	北マケドニア、アルバニア
㊴エルツ山地の鉱山地域	文化遺産	チェコ、ドイツ
㊵博愛の植民地群	文化遺産	ベルギー、オランダ
㊶ローマ帝国の国境線-ドナウのリーメス（西部分）	文化遺産	オーストリア、ドイツ、ハンガリー、スロヴァキア
㊷ヨーロッパの大温泉群	文化遺産	オーストリア、ベルギー、チェコ、フランス、ドイツ、イタリア、英国
㊸ローマ帝国の国境線—低地ゲルマニアのリーメス	文化遺産	ドイツ／オランダ
㊹寒冬のトゥラン砂漠群	自然遺産	カザフスタン、トルクメニスタン、ウズベキスタン
㊺シルクロード：ザラフシャン・カラクム回廊	文化遺産	タジキスタン、トルクメニスタン、ウズベキスタン
㊻第一次世界大戦（西部戦線）の追悼と記憶の場所	文化遺産	ベルギー、フランス
㊼バタマリバ人の土地クタマク	文化遺産	ベニン、トーゴ
㊽ヒルカニアの森林群	自然遺産	アゼルバイジャン、イラン

⑨ 世界遺産条約締約国総会の開催歴

回　次	開催都市（国名）	開催期間
第 1 回	ナイロビ（ケニア）	1976年11月26日
第 2 回	パリ（フランス）	1978年11月24日
第 3 回	ベオグラード（ユーゴスラヴィア）	1980年10月 7日
第 4 回	パリ（フランス）	1983年10月28日
第 5 回	ソフィア（ブルガリア）	1985年11月 4日
第 6 回	パリ（フランス）	1987年10月30日
第 7 回	パリ（フランス）	1989年11月 9日〜11月13日
第 8 回	パリ（フランス）	1991年11月 2日シャーマ
第 9 回	パリ（フランス）	1993年10月29日〜10月30日
第10回	パリ（フランス）	1995年11月 2日〜11月 3日
第11回	パリ（フランス）	1997年10月27日〜10月28日
第12回	パリ（フランス）	1999年10月28日〜10月29日
第13回	パリ（フランス）	2001年11月 6日〜11月 7日
第14回	パリ（フランス）	2003年10月14日〜10月15日
第15回	パリ（フランス）	2005年10月10日〜10月11日
第16回	パリ（フランス）	2007年10月24日〜10月25日
第17回	パリ（フランス）	2009年10月23日〜10月28日
第18回	パリ（フランス）	2011年11月 7日〜11月 8日
第19回	パリ（フランス）	2013年11月19日〜11月21日
第20回	パリ（フランス）	2015年11月18日〜11月20日
第21回	パリ（フランス）	2017年11月14日〜11月15日
第22回	パリ（フランス）	2019年11月27日〜11月28日
第23回	パリ（フランス）	2021年11月24日〜11月26日
第24回	パリ（フランス）	2023年11月24日〜11月26日

臨　時		
第 1 回	パリ（フランス）	2014年11月22日〜11月23日

⑩ 世界遺産委員会

　世界遺産条約第8条に基づいて設置された政府間委員会で、「世界遺産リスト」と「危機にさらされている世界遺産リスト」の作成、リストに登録された遺産の保全状態のモニター、世界遺産基金の効果的な運用の検討などを行う。

（世界遺産委員会における主要議題 ）

● 定期報告（6年毎の地域別の世界遺産の状況、フォローアップ等）
● 「危険にさらされている世界遺産リスト」に登録されている物件のその後の改善状況の報告、「世界遺産リスト」に登録されている物件のうちリアクティブ・モニタリングに基づく報告
● 「世界遺産リスト」および「危険にさらされている世界遺産リスト」への登録物件の審議
【新登録関係の世界遺産委員会の4つの決議区分】
　① 登録（記載）（Inscription）　世界遺産リストに登録（記載）するもの。
　② 情報照会（Referral）　追加情報の提出を求めた上で、次回以降の世界遺産委員会で再審議するもの。
　③ 登録（記載）延期（Deferral）　より綿密な調査や登録推薦書類の抜本的な改定が必要なもの。登録推薦書類を再提出した後、約1年半をかけて再度、専門機関のIUCNや

ICOMOSの審査を受ける必要がある。
④ 不登録(不記載) （Decision not to inscribe） 登録(記載)にふさわしくないもの。
例外的な場合を除いては、再度の登録推薦は不可。
●「世界遺産基金」予算の承認 と国際援助要請の審議
●グローバル戦略や世界遺産戦略の目標等の審議

⑪ 世界遺産委員会委員国

　世界遺産委員会委員国は、世界遺産条約締結国の中から、世界の異なる地域および文化が均等に代表される様に選ばれた、21か国によって構成される。任期は原則6年であるが、4年に短縮できる。2年毎に開かれる世界遺産条約締約国総会で改選される。世界遺産委員会ビューローは、毎年、世界遺産委員会によって選出された7か国（◎議長国1、○副議長国5、□ラポルチュール(報告担当国) 1)によって構成される。2023年12月現在の世界遺産委員会の委員国は、下記の通り。

ジャマイカ、カザフスタン、○ケニア、レバノン、韓国、
セネガル、トルコ、ウクライナ、ヴェトナム
　（任期 第44回ユネスコ総会の会期終了＜2027年11月頃＞まで）

アルゼンチン、□ベルギー、○ブルガリア、○ギリシャ、◎インド、イタリア、
日本、メキシコ、○カタール、ルワンダ、○セント・ヴィンセントおよびグレナディーン諸島、ザンビア
　（任期 第43回ユネスコ総会の会期終了＜2025年11月頃＞まで）

<第46回世界遺産委員会>
◎　議長国　インド
　　議長：　Mr.ヴィシャール・V・シャーマ（H.E. Mr Vishal V. Sharma）
　　　　　　ユネスコ全権大使
○　副議長国　ブルガリア、ギリシャ、ケニア、カタール、セント・ヴィンセントおよびグレナディーン諸島
□　ラポルチュール(報告担当国) Mr マルタン・Ouaklani（ベルギー）

<第45回世界遺産委員会>
◎　議長国　サウジアラビア
　　議長：　Dr.アブドゥーラ・アル・トカイス（H.H Princess Haifa Al Mogrin）
　　　　　　キングサウード大学(リヤド)の助教授
○　副議長国　アルゼンチン、イタリア、ロシア連邦、南アフリカ、タイ
□　ラポルチュール(報告担当国) シカール・ジャイン（インド）
　　　　　　　　　　↑
◎　議長国　ロシア連邦
　　議長：　アレクサンダー・クズネツォフ氏(H.E.Mr Alexander Kuznetsov)
　　　　　　ユネスコ全権大使
○　副議長国　スペイン、セントキッツ・ネイヴィース、タイ、南アフリカ、サウジアラビア
□　ラポルチュール(報告担当国)　シカール・ジャイン（インド）

<第44回世界遺産委員会>
◎　議長国　中国
　　議長：　田学軍(H.E. Mr. Tian Xuejun)　中国教育部副部長
○　副議長国　バーレーン、グアテマラ、ハンガリー、スペイン、ウガンダ
□　ラポルチュール(報告担当国)　バーレーン　ミレイ・ハサルタン・ウォシンスキー
　　　　　　　　　　　　　　　　（Ms. Miray Hasaltun Wosinski)

＜第43回世界遺産委員会＞
◎　議長国　アゼルバイジャン
　　議長：　アブルファス・ガライェフ（H.E. Mr. Abulfaz Garayev）
○　副議長国　ノルウェー、ブラジル、インドネシア、ブルキナファソ、チュニジア
□　ラポルチュール（報告担当国）　オーストラリア　マハニ・テイラー（Ms. Mahani Taylor）

⑫ 世界遺産委員会の開催歴

通常

回　次	開催都市（国名）	開催期間	登録物件数
第1回	パリ（フランス）	1977年 6月27日～ 7月 1日	0
第2回	ワシントン（アメリカ合衆国）	1978年 9月 5日～ 9月 8日	12
第3回	ルクソール（エジプト）	1979年10月22日～10月26日	45
第4回	パリ（フランス）	1980年 9月 1日～ 9月 5日	28
第5回	シドニー（オーストラリア）	1981年10月26日～10月30日	26
第6回	パリ（フランス）	1982年12月13日～12月17日	24
第7回	フィレンツェ（イタリア）	1983年12月 5日～12月 9日	29
第8回	ブエノスアイレス（アルゼンチン）	1984年10月29日～11月 2日	23
第9回	パリ（フランス）	1985年12月 2日～12月 6日	30
第10回	パリ（フランス）	1986年11月24日～11月28日	31
第11回	パリ（フランス）	1987年12月 7日～12月11日	41
第12回	ブラジリア（ブラジル）	1988年12月 5日～12月 9日	27
第13回	パリ（フランス）	1989年12月11日～12月15日	7
第14回	バンフ（カナダ）	1990年12月 7日～12月12日	17
第15回	カルタゴ（チュニジア）	1991年12月 9日～12月13日	22
第16回	サンタ・フェ（アメリカ合衆国）	1992年12月 7日～12月14日	20
第17回	カルタヘナ（コロンビア）	1993年12月 6日～12月11日	33
第18回	プーケット（タイ）	1994年12月12日～12月17日	29
第19回	ベルリン（ドイツ）	1995年12月 4日～12月 9日	29
第20回	メリダ（メキシコ）	1996年12月 2日～12月 7日	37
第21回	ナポリ（イタリア）	1997年12月 1日～12月 6日	46
第22回	京都（日本）	1998年11月30日～12月 5日	30
第23回	マラケシュ（モロッコ）	1999年11月29日～12月 4日	48
第24回	ケアンズ（オーストラリア）	2000年11月27日～12月 2日	61
第25回	ヘルシンキ（フィンランド）	2001年12月11日～12月16日	31
第26回	ブダペスト（ハンガリー）	2002年 6月24日～ 6月29日	9
第27回	パリ（フランス）	2003年 6月30日～ 7月 5日	24
第28回	蘇州（中国）	2004年 6月28日～ 7月 7日	34
第29回	ダーバン（南アフリカ）	2005年 7月10日～ 7月18日	24
第30回	ヴィリニュス（リトアニア）	2006年 7月 8日～ 7月16日	18
第31回	クライスト・チャーチ（ニュージーランド）	2007年 6月23日～ 7月 2日	22
第32回	ケベック（カナダ）	2008年 7月 2日～ 7月10日	27
第33回	セビリア（スペイン）	2009年 6月22日～ 6月30日	13
第34回	ブラジリア（ブラジル）	2010年 7月25日～ 8月 3日	21
第35回	パリ（フランス）	2011年 6月19日～ 6月29日	25
第36回	サンクトペテルブルク（ロシア連邦）	2012年 6月24日～ 7月 6日	26
第37回	プノンペン（カンボジア）	2013年 6月16日～ 6月27日	19
第38回	ドーハ（カタール）	2014年 6月15日～ 6月25日	26

第39回	ボン（ドイツ）	2015年 6月28日〜 7月 8日	24
第40回	イスタンブール（トルコ）	2016年 7月10日〜 7月17日＊	21
〃	パリ（フランス）	2016年10月24日〜10月26日＊	
第41回	クラクフ（ポーランド）	2017年 7月 2日〜 7月12日	21
第42回	マナーマ（バーレーン）	2018年 6月24日〜 7月 4日	19
第43回	バクー（アゼルバイジャン）	2019年 6月30日〜 7月10日	29
第44回	福州（中国）	2021年 7月16日〜 7月31日	34
第45回	リヤド（サウジアラビア）	2023年 9月10日〜 9月25日	42
第46回	ニュー・デリー（インド）	2024年 7月21日〜 7月31日	XX

（注）当初登録された物件が、その後隣国を含めた登録地域の拡大・延長などで、新しい物件として統合・再登録された物件等を含む。
＊トルコでの不測の事態により、当初の会期を3日間短縮、10月にフランスのパリで審議継続した。

臨　時

回　次	開催都市（国名）	開催期間	登録物件数
第 1回	パリ（フランス）	1981年 9月10日〜 9月11日	1
第 2回	パリ（フランス）	1997年10月29日	
第 3回	パリ（フランス）	1999年 7月12日	
第 4回	パリ（フランス）	1999年10月30日	
第 5回	パリ（フランス）	2001年 9月12日	
第 6回	パリ（フランス）	2003年 3月17日〜 3月22日	
第 7回	パリ（フランス）	2004年12月 6日〜12月11日	
第 8回	パリ（フランス）	2007年10月24日	
第 9回	パリ（フランス）	2010年 6月14日	
第10回	パリ（フランス）	2011年11月 9日	
第11回	パリ（フランス）	2015年11月19日	
第12回	パリ（フランス）	2017年11月15日	
第13回	パリ（フランス）	2019年11月29日	
第14回	オンライン	2020年11月 2日	
第15回	オンライン	2021年 3月29日	
第16回	パリ（フランス）	2021年11月26日	
第17回	パリ（フランス）	2022年12月12日	
第18回	パリ（フランス）	2023年 1月24日〜 1月25日	
第19回	パリ（フランス）	2023年11月23日	

⑬ 世界遺産の種類

世界遺産には、自然遺産、文化遺産、複合遺産の3種類に分類される。

□自然遺産（Natural Heritage）

自然遺産とは、無生物、生物の生成物、または、生成物群からなる特徴のある自然の地域で、鑑賞上、または、学術上、「顕著な普遍的価値」（Outstanding Universal Value）を有するもの、そして、地質学的、または、地形学的な形成物および脅威にさらされている動物、または、植物の種の生息地、または、自生地として区域が明確に定められている地域で、学術上、保存上、または、景観上、「顕著な普遍的価値」を有するものと定義することが出来る。

ユネスコ世界遺産の概要

地球上の顕著な普遍的価値をもつ自然景観、地形・地質、生態系、生物多様性などを有する自然遺産の数は、2023年12月現在、227物件。

大地溝帯のケニアの湖水システム(ケニア)、セレンゲティ国立公園(タンザニア)、キリマンジャロ国立公園(タンザニア)、モシ・オア・トゥニャ〈ヴィクトリア瀑布〉(ザンビア／ジンバブエ)、サガルマータ国立公園(ネパール)、スマトラの熱帯雨林遺産(インドネシア)、屋久島(日本)、白神山地(日本)、知床(日本)、小笠原諸島(日本)、奄美大島、徳之島、沖縄島北部及び西表島(日本)、グレート・バリア・リーフ(オーストラリア)、スイス・アルプス ユングフラウ・アレッチ(スイス)、イルリサート・アイスフィヨルド(デンマーク)、バイカル湖(ロシア連邦)、カナディアン・ロッキー山脈公園(カナダ)、グランド・キャニオン国立公園(アメリカ合衆国)、エバーグレーズ国立公園(アメリカ合衆国)、レヴィジャヒヘド諸島(メキシコ)、ガラパゴス諸島(エクアドル)、イグアス国立公園(ブラジル／アルゼンチン) などがその代表的な物件。

□文化遺産 (Cultural Heritage)

文化遺産とは、歴史上、芸術上、または、学術上、「顕著な普遍的価値」(Outstanding Universal Value) を有する記念物、建築物群、記念的意義を有する彫刻および絵画、考古学的な性質の物件および構造物、金石文、洞穴居ならびにこれらの物件の組合せで、歴史的、芸術上、または、学術上、「顕著な普遍的価値」を有するものをいう。

遺跡 (Sites) とは、自然と結合したものを含む人工の所産および考古学的遺跡を含む区域で、歴史上、芸術上、民族学上、または、人類学上、「顕著な普遍的価値」を有するものをいう。
建造物群 (Groups of buildings) とは、独立し、または、連続した建造物の群で、その建築様式、均質性、または、景観内の位置の為に、歴史上、芸術上、または、学術上、「顕著な普遍的価値」を有するものをいう。
モニュメント (Monuments) とは、建築物、記念的意義を有する彫刻および絵画、考古学的な性質の物件および構造物、金石文、洞穴居ならびにこれらの物件の組合せで、歴史的、芸術上、または、学術上、「顕著な普遍的価値」を有するものをいう。

人類の英知と人間活動の所産を様々な形で語り続ける顕著な普遍的価値をもつ遺跡、建造物群、モニュメントなどの文化遺産の数は、2023年12月現在、933物件。

モンバサのジーザス要塞(ケニア)、メンフィスとそのネクロポリス／ギザからダハシュールまでのピラミッド地帯(エジプト)、バビロン(イラク)、ペルセポリス(イラン)、サマルカンド(ウズベキスタン)、タージ・マハル(インド)、アンコール(カンボジア)、万里の長城(中国)、高句麗古墳群(北朝鮮)、古都京都の文化財(日本)、厳島神社(日本)、白川郷と五箇山の合掌造り集落(日本)、北海道・北東北の縄文遺跡群(日本)、アテネのアクロポリス(ギリシャ)、ローマ歴史地区(イタリア)、ヴェルサイユ宮殿と庭園(フランス)、アルタミラ洞窟(スペイン)、ストーンヘンジ(英国)、ライン川上中流域の渓谷(ドイツ)、プラハの歴史地区(チェコ)、アウシュヴィッツ強制収容所(ポーランド)、クレムリンと赤の広場(ロシア連邦)、自由の女神像(アメリカ合衆国)、テオティワカン古代都市(メキシコ)、クスコ市街(ペルー)、ブラジリア(ブラジル)、ウマワカの渓谷(アルゼンチン) などがその代表的な物件。

文化遺産の中で、**文化的景観** (Cultural Landscapes) という概念に含まれる物件がある。
文化的景観とは、「人間と自然環境との共同作品」とも言える景観。文化遺産と自然遺産との中間的な存在で、現在は文化遺産の分類に含められており、次の三つのカテゴリーに分類することができる。
  1) 庭園、公園など人間によって意図的に設計され創造されたと明らかに定義できる景観
  2) 棚田など農林水産業などの産業と関連した有機的に進化する景観で、
     次の2つのサブ・カテゴリーに分けられる。

①残存する(或は化石)景観 (a relict (or fossil) landscape)
②継続中の景観 (continuing landscape)
3) 聖山など自然的要素が強い宗教、芸術、文化などの事象と関連する文化的景観

コンソ族の文化的景観(エチオピア)、アハサー・オアシス、進化する文化的景観 (サウジアラビア)、オルホン渓谷の文化的景観(モンゴル)、杭州西湖の文化的景観(中国)、紀伊山地の霊場と参詣道(日本)、石見銀山遺跡とその文化的景観(日本)、バジ・ビムの文化的景観(オーストラリア)、フィリピンのコルディリェラ山脈の棚田(フィリピン)、シンクヴェトリル国立公園(アイスランド)、シントラの文化的景観(ポルトガル)、グラン・カナリア島の文化的景観のリスコ・カイド洞窟と聖山群 (スペイン)、ザルツカンマーグート地方のハルシュタットとダッハシュタインの文化的景観(オーストリア)、トカイ・ワイン地方の歴史的・文化的景観(ハンガリー)、ペルガモンとその多層的な文化的景観(トルコ)、ヴィニャーレス渓谷 (キューバ)、パンプーリャ湖近代建築群(ブラジル) などがこの範疇に入る。

□複合遺産 (Cultural and Natural Heritage)

自然遺産と文化遺産の両方の要件を満たしている物件が**複合遺産**で、最初から複合遺産として登録される場合と、はじめに、自然遺産、あるいは、文化遺産として登録され、その後、もう一方の遺産としても評価されて複合遺産となる場合がある。世界遺産条約の本旨である自然と文化との結びつきを代表する複合遺産の数は、**2023年12月現在、39物件。**

ワディ・ラム保護区 (ヨルダン)、カンチェンジュンガ国立公園 (インド)、泰山 (中国)、チャンアン景観遺産群 (ヴェトナム)、ウルル・カタジュタ国立公園 (オーストラリア)、トンガリロ国立公園 (ニュージーランド)、ギョレメ国立公園とカッパドキア (トルコ)、メテオラ (ギリシャ)、ピレネー地方-ペルデュー山 (フランス／スペイン)、ティカル国立公園 (グアテマラ)、マチュ・ピチュの歴史保護区 (ペルー)、パラチとイーリャ・グランデ
－文化と生物多様性(ブラジル)などが代表的な物件。

⑭ ユネスコ世界遺産の登録要件

ユネスコ世界遺産の登録要件は、世界的に「顕著な普遍的価値」 (outstanding universal value) を有することが前提であり、世界遺産委員会が定めた世界遺産の登録基準(クライテリア)の一つ以上を完全に満たしている必要がある。また、世界遺産としての価値を将来にわたって継承していく為の保護管理措置が担保されていることが必要である。

⑮ ユネスコ世界遺産の登録基準

世界遺産委員会が定める世界遺産の登録基準(クライテリア)が設けられており、このうちの一つ以上の基準を完全に満たしていることが必要。

(ⅰ) 人類の創造的天才の傑作を表現するもの。→人類の創造的天才の傑作

(ⅱ) ある期間を通じて、または、ある文化圏において、建築、技術、記念碑的芸術、町並み計画、景観デザインの発展に関し、人類の価値の重要な交流を示すもの。→人類の価値の重要な交流を示すもの

(ⅲ) 現存する、または、消滅した文化的伝統、または、文明の、唯一の、または、少なくとも稀な証拠となるもの。→文化的伝統、文明の稀な証拠

ユネスコ世界遺産の概要

(iv) 人類の歴史上、重要な時代を例証する、ある形式の建造物、建築物群、技術の集積、または、景観の顕著な例。
→歴史上、重要な時代を例証する優れた例

(v) 特に、回復困難な変化の影響下で損傷されやすい状態にある場合における、ある文化（または、複数の文化）或は、環境と人間との相互作用を代表する伝統的集落、または、土地利用の顕著な例。
→存続が危ぶまれている伝統的集落、土地利用の際立つ例

(vi) 顕著な普遍的な意義を有する出来事、現存する伝統、思想、信仰、または、芸術的、文学的作品と、直接に、または、明白に関連するもの。→普遍的出来事、伝統、思想、信仰、芸術、文学的作品と関連するもの

(vii) もっともすばらしい自然的現象、または、ひときわすぐれた自然美をもつ地域、及び、美的な重要性を含むもの。→自然景観

(viii) 地球の歴史上の主要な段階を示す顕著な見本であるもの。これには、生物の記録、地形の発達における重要な地学的進行過程、或は、重要な地形的、または、自然地理的特性などが含まれる。→地形・地質

(ix) 陸上、淡水、沿岸、及び、海洋生態系と動植物群集の進化と発達において、進行しつつある重要な生態学的、生物学的プロセスを示す顕著な見本であるもの。→生態系

(x) 生物多様性の本来的保全にとって、もっとも重要かつ意義深い自然生息地を含んでいるもの。これには、科学上、または、保全上の観点から、すぐれて普遍的価値をもつ絶滅の恐れのある種が存在するものを含む。
→生物多様性

　(注) → は、わかりやすい覚え方として、当シンクタンクが言い換えたものである。

16 ユネスコ世界遺産に登録されるまでの手順

　世界遺産リストへの登録物件の推薦は、個人や団体ではなく、世界遺産条約を締結した各国政府が行う。日本では、文化遺産は文化庁、自然遺産は環境省と林野庁が中心となって決定している。
　ユネスコの「世界遺産リスト」に登録されるプロセスは、政府が暫定リストに基づいて、パリに事務局がある世界遺産委員会に推薦し、自然遺産については、IUCN（国際自然保護連合）、文化遺産については、ICOMOS（イコモス　国際記念物遺跡会議）の専門的な評価報告書やICCROM（イクロム　文化財保存修復研究国際センター）の助言などに基づいて審議され、世界遺産リストへの登録の可否が決定される。

　IUCN（The World Conservation Union　国際自然保護連合、以前は、自然及び天然資源の保全に関する国際同盟＜International Union for Conservation of Nature and Natural Resources＞）は、国連環境計画（UNEP）、ユネスコ（UNESCO）などの国連機関や世界自然保護基金（WWF）などの協力の下に、野生生物の保護、自然環境及び自然資源の保全に係わる調査研究、発展途上地域への支援などを行っているほか、絶滅のおそれのある世界の野生生物を網羅したレッド・リスト等を定期的に刊行している。
　世界遺産との関係では、IUCNは、世界遺産委員会への諮問機関としての役割を果たしている。自然保護や野生生物保護の専門家のワールド・ワイドなネットワークを通じて、自然遺産に推薦された物件が世界遺産にふさわしいかどうかの専門的な評価、既に世界遺産に登録されている物件の保全状態のモニタリング（監視）、締約国によって提出された国際援助要請の審査、人材育成活動への支援などを行っている。

　ICOMOS（International Council of Monuments and Sites　国際記念物遺跡会議）は、本部をフランス、パリに置く国際的な非政府組織（NGO）である。1965年に設立され、建築遺産及び考古学的遺産の保全のための理論、方法論、そして、科学技術の応用を推進することを目的としている。1964年に制定された「記念建造物および遺跡の保全と修復のための国際憲章」（ヴェネチア憲章）に示された原則を基盤として活動している。
　世界遺産条約に関するICOMOSの役割は、「世界遺産リスト」への登録推薦物件の審査＜現地調査（夏〜秋）、イコモスパネル（11月末〜12月初）、中間報告（1月中）＞、文化遺産の保存状況の監視、世界遺産条約締約国から

提出された国際援助要請の審査、人材育成への助言及び支援などである。

【新登録候補物件の評価結果についての世界遺産委員会への4つの勧告区分】

① 登録(記載)勧告　　　　　　　　　　世界遺産としての価値を認め、世界遺産リストへの
　(Recommendation for Inscription)　　登録(記載)を勧める。

② 情報照会勧告　　　　　　　　　　　世界遺産としての価値は認めるが、追加情報の提出を求
　(Recommendation for Referral)　　　めた上で、次回以降の世界遺産委員会での審議を勧める。

③ 登録(記載)延期勧告　　　　　　　　より綿密な調査や登録推薦書類 の抜本的な改定が必要
　(Recommendation for Deferral)　　　なもの。登録推薦書類を再提出した後、約1年半をかけて、
　　　　　　　　　　　　　　　　　　再度、専門機関のIUCNやICOMOSの審査を受けること
　　　　　　　　　　　　　　　　　　を勧める。

④ 不登録(不記載)勧告　　　　　　　　登録(記載)にふさわしくないもの。
　(Not recommendation for Inscription)　例外的な場合を除いて再推薦は不可とする。

ICCROM（International Centre for the Study of the Preservation and Restoration of Cultural Property文化財保存及び修復の研究のための国際センター）は、本部をイタリア、ローマにおく国際的な政府間機関（IGO）である。ユネスコによって1956年に設立され、不動産・動産の文化遺産の保全強化を目的とした研究、記録、技術支援、研修、普及啓発を行うことを目的としている。

世界遺産条約に関するICCROMの役割は、文化遺産に関する研修において主導的な協力機関であること、文化遺産の保存状況の監視、世界遺産条約締約国から提出された国際援助要請の審査、人材育成への助言及び支援などである。

⑰ 世界遺産暫定リスト

世界遺産暫定リストとは、各世界遺産条約締約国が「世界遺産リスト」へ登録することがふさわしいと考える、自国の領域内に存在する物件の目録である。

従って、世界遺産条約締約国は、各自の世界遺産暫定リストに、将来、登録推薦を行う意思のある物件の名称を示す必要がある。

2023年12月現在、世界遺産暫定リストに登録されている物件は、約1800物件（186か国）であり、世界遺産暫定リストを、まだ作成していない国は、作成が必要である。また、追加や削除など、世界遺産暫定リストの定期的な見直しが必要である。

⑱ 危機にさらされている世界遺産（略称　危機遺産　★【危機遺産】　56物件）

ユネスコの「危機にさらされている世界遺産リスト」には、2023年12月現在、34の国と地域にわたって自然遺産が16物件、文化遺産が40物件の合計56物件が登録されている。地域別に見ると、アフリカが14物件、アラブ諸国が23物件、アジア・太平洋地域が6物件、ヨーロッパ・北米が7物件、ラテンアメリカ・カリブが6物件となっている。

危機遺産になった理由としては、地震などの自然災害によるもの、民族紛争などの人為災害によるものなど多様である。世界遺産は、今、イスラム国などによる攻撃、破壊、盗難の危機にさらされている。こうした危機から回避していく為には、戦争や紛争のない平和な社会を築いていかなければならない。それに、開発と保全のあり方も多角的な視点から見つめ直していかなければならない。

「危機遺産リスト」に登録されても、その後改善措置が講じられ、危機的状況から脱した場合は、「危機遺産リスト」から解除される。一方、一旦解除されても、再び危機にさらされた場合には、再度、「危機遺産リスト」に登録される。一向に改善の見込みがない場合には、「世界遺産リスト」そのものからの登録抹消もありうる。

⑲ 危機にさらされている世界遺産リストへの登録基準

　世界遺産委員会が定める危機にさらされている世界遺産リスト（List of the World Heritage in Danger）への登録基準は、以下の通りで、いずれか一つに該当する場合に登録される。

〔自然遺産の場合〕

(1) **確認危険**　遺産が特定の確認された差し迫った危険に直面している、例えば、

    a. 法的に遺産保護が定められた根拠となった顕著で普遍的な価値をもつ種で、絶滅の危機にさらされている種やその他の種の個体数が、病気などの自然要因、或は、密猟・密漁などの人為的要因などによって著しく低下している
    b. 人間の定住、遺産の大部分が氾濫するような貯水池の建設、産業開発や、農薬や肥料の使用を含む農業の発展、大規模な公共事業、採掘、汚染、森林伐採、燃料材の採取などによって、遺産の自然美や学術的価値が重大な損壊を被っている
    c. 境界や上流地域への人間の侵入により、遺産の完全性が脅かされる

(2) **潜在危険**　遺産固有の特徴に有害な影響を与えかねない脅威に直面している、例えば、

    a. 指定地域の法的な保護状態の変化
    b. 遺産内か、或は、遺産に影響が及ぶような場所における再移住計画、或は、開発事業
    c. 武力紛争の勃発、或は、その恐れ
    d. 保護管理計画が欠如しているか、不適切か、或は、十分に実施されていない

〔文化遺産の場合〕

(1) **確認危険**　遺産が特定の確認された差し迫った危険に直面している、例えば、

    a. 材質の重大な損壊
    b. 構造、或は、装飾的な特徴の重大な損壊
    c. 建築、或は、都市計画の統一性の重大な損壊
    d. 都市、或は、地方の空間、或は、自然環境の重大な損壊
    e. 歴史的な真正性の重大な喪失
    f. 文化的な意義の大きな喪失

(2) **潜在危険**　遺産固有の特徴に有害な影響を与えかねない脅威に直面している、例えば、

    a. 保護の度合いを弱めるような遺産の法的地位の変化
    b. 保護政策の欠如
    c. 地域開発計画による脅威的な影響
    d. 都市開発計画による脅威的な影響
    e. 武力紛争の勃発、或は、その恐れ
    f. 地質、気象、その他の環境的な要因による漸進的変化

⑳ 監視強化メカニズム

　監視強化メカニズム（Reinforced Monitoring Mechanism略称：RMM）とは、2007年4月に開催されたユネスコの第176回理事会で採択された「世界遺産条約の枠組みの中で、世界遺産委員会の決議の適切な履行を確保する為のメカニズムを世界遺産委員会で提案すること」の事務局長への要請を受け、2007年の第31回世界遺産委員会で採択された新しい監視強化メカニズムのことである。RMMの目的は、「顕著な普遍的価値」の喪失につながりかねない突発的、偶発的な原因や理由で、深刻な危機的状況に陥った現場に専門家を速やかに派遣、監視し、次の世界遺産委員会での決議を待つまでもなく可及的速やかな対応や緊急措置を講じられる仕組みである。

㉑ 世界遺産リストからの登録抹消

ユネスコの世界遺産は、「世界遺産リスト」への登録後において、下記のいずれかに該当する場合、世界遺産委員会は、「世界遺産リスト」から登録抹消の手続きを行なうことが出来る。

1) 世界遺産登録を決定づけた物件の特徴が失われるほど物件の状態が悪化した場合。
2) 世界遺産の本来の特質が、登録推薦の時点で、既に、人間の行為によって脅かされており、かつ、その時点で世界遺産条約締約国によりまとめられた必要な改善措置が、予定された期間内に講じられなかった場合。

これまでの登録抹消の事例としては、下記の3つの事例がある。

- オマーン 「アラビアン・オリックス保護区」
  (自然遺産 1994年世界遺産登録 2007年登録抹消)
  ＜理由＞油田開発の為、オペレーショナル・ガイドラインズに違反し世界遺産の登録範囲を勝手に変更したことによる世界遺産登録時の完全性の喪失。
- ドイツ 「ドレスデンのエルベ渓谷」
  (文化遺産 2004年世界遺産登録 ★【危機遺産】2006年登録 2009年登録抹消)
  ＜理由＞文化的景観の中心部での橋の建設による世界遺産登録時の完全性の喪失。
- 英国 「リヴァプール－海商都市」
  (文化遺産 2004年世界遺産登録 ★【危機遺産】2012年登録 2021年登録抹消)
  ＜理由＞19世紀の面影を残す街並みが世界遺産に登録されていたが、その後の都市開発で歴史的景観が破壊された。

㉒ 世界遺産基金

世界遺産基金とは、世界遺産の保護を目的とした基金で、2022～2023年(2年間)の予算は、5.9百万米ドル。世界遺産条約が有効に機能している最大の理由は、この世界遺産基金を締約国に義務づけることにより世界遺産保護に関わる援助金を確保できることであり、その使途については、世界遺産委員会等で審議される。

日本は、世界遺産基金への分担金として、世界遺産条約締約後の1993年には、762,080US$ (1992年／1993年分を含む)、その後、

1994年 395,109US$、 1995年 443,903US$、 1996年 563,178 US$、
1997年 571,108US$、 1998年 641,312US$、 1999年 677,834US$、 2000年 680,459US$、
2001年 598,804US$、 2002年 598,804US$、 2003年 598,804US$、 2004年 597,038US$、
2005年 597,038US$、 2006年 509,350US$、 2007年 509,350US$、 2008年 509,350US$、
2009年 509,350US$、 2010年 409,137US$、 2011年 409,137US$、 2012年 409,137US$、
2013年 353,730US$、 2014年 353,730US$、 2015年 353,730US$、 2016年 316,019US$
2017年 316,019US$、 2018年 316,019US$、 2019年 279,910US$、 2020年 279,910US$
2021年 289,367US$、 2022年 277,402US$、 2023年 277,402US$を拠出している。

(1) 世界遺産基金の財源

- □世界遺産条約締約国に義務づけられた分担金(ユネスコに対する分担金の1%を上限とする額)
- □各国政府の自主的拠出金、団体・機関(法人)や個人からの寄付金

（2023年予算の分担金または任意拠出金の支払予定上位国）

❶米国*	588,112 US$	❷中国	526,734 US$	❸日本	277,402 US$
❹英国	228,225 US$	❺ドイツ	211,025 US$	❻フランス	149,113 US$
❼イタリア	110,111 US$	❽カナダ	90,756 US$	❾韓国	88,885 US$
❿オーストラリア	72,899 US$	⓫スペイン	72,201 US$	⓬ブラジル	69,504 US$
⓭ロシア連邦	64,425 US$	⓮サウジアラビア	60,329 US$	⓯オランダ	47,753 US$
⓰メキシコ	42,157 US$	⓱スイス	39,163 US$	⓲スウェーデン	30,079 US$
⓳トルコ	29,192 US$	⓴ベルギー	28,582 US$		

＊米国は、2018年12月末にユネスコを脱退したが、これまでの滞納額は支払い義務あり。

世界遺産基金（The World Heritage Fund／Fonds du Patrimoine Mondial）

- UNESCO account No. 949-1-191558　　　　　　　　（US＄）
  CHASE MANHATTAN BANK　4 Metrotech Center,Brooklyn,NewYork,NY 11245 USA
  SWIFT CODE:CHASUS33-ABA No.0210-0002-1
- UNESCO account No. 30003-03301-00037291180-53　　　（＄ EU）
  Societe Generale　106 rue Saint-Dominique 75007 paris　FRANCE
  SWIFT CODE:SOGE FRPPAFS

(2) 世界遺産基金からの国際援助の種類と援助実績

①世界遺産登録の準備への援助（Preparatory Assistance）

＜例示＞
- マダガスカル　アンタナナリボのオートヴィル　　　　　　30,000 US＄

②保全管理への援助（Conservation and Management Assistance）

＜例示＞
- ラオス　　　　ラオスにおける世界遺産保護の為の　　　44,500 US＄
  遺産影響評価の為の支援
- スリランカ　　古代都市シギリヤ　　　　　　　　　　　91,212 US＄
  （1982年世界遺産登録）の保全管理
- 北マケドニア　オフリッド地域の自然・文化遺産　　　　55,000 US＄
  （1979年／1980年／2009年／2019年世界遺産登録）
  の文化と遺産管理の強化

③緊急援助（Emergency Assistance）

＜例示＞
- ガンビア　　　クンタ・キンテ島と関連遺跡群（2003年世界遺産登録）　5,025 US＄
  のCFAOビルの屋根の復旧

㉓ ユネスコ文化遺産保存日本信託基金

ユネスコが日本政府の拠出金によって設置している日本信託基金には、次の様な基金がある。

○ユネスコ文化遺産保存信託基金（外務省所管）
○ユネスコ人的資源開発信託基金（外務省所管）
○ユネスコ青年交流信託基金（文部科学省所管）
○万人のための教育信託基金（文部科学省所管）
○持続可能な開発のための教育信託基金（文部科学省所管）
○ユネスコ地球規模の課題の解決のための科学事業信託基金（文部科学省所管）
○ユネスコ技術援助専門家派遣信託基金（文部科学省所管）
○エイズ教育特別信託基金（文部科学省所管）
○アジア太平洋地域教育協力信託基金（文部科学省所管）

これらのうち、ユネスコ文化遺産保存日本信託基金による主な実施中の案件は、次の通り。

●カンボジア「アンコール遺跡」　　国際調整委員会等国際会議の開催　1990年〜
　　　　　　　　　　　　　　　　　保存修復事業等　1994年〜
●ネパール「カトマンズ渓谷」　　　ダルバール広場の文化遺産の復旧・復興　2015年〜
●ネパール「ルンビニ遺跡」　　　　建造物等保存措置、考古学調査、統合的マスタープラン
　　　　　　　　　　　　　　　　　策定、管理プロセスのレビュー、専門家育成　2010年〜
●ミャンマー「バガン遺跡」　　　　遺跡保存水準の改善、人材養成　2014年〜2016年
●アフガニスタン「バーミヤン遺跡」壁画保存、マスタープランの策定、東大仏仏龕の固定、
　　　　　　　　　　　　　　　　　西大仏龕奥壁の安定化　2003年〜
●ボリヴィア「ティワナク遺跡」　　管理計画の策定、人材育成（保存管理、発掘技術等）
　　　　　　　　　　　　　　　　　2008年〜
●カザフスタン、キルギス、タジキスタン、トルクメニスタン、ウズベキスタン
　「シルクロード世界遺産推薦　　　遺跡におけるドキュメンテーション実地訓練・人材育成
　　ドキュメンテーション支援」　　2010年〜
●カーボヴェルデ、サントメ・プリンシペ、コモロ、モーリシャス、セーシェル、モルディブ、
　ミクロネシア、クック諸島、ニウエ、トンガ、ツバル、ナウル、アンティグア・バーブーダ、
　バハマ、バルバドス、ベリーズ、キューバ、ドミニカ、グレナダ、ガイアナ、ジャマイカ、
　セントクリストファー・ネーヴィス、セントルシア、セントビンセント・グレナディーン、
　スリナム、トリニダード・トバコ
　「小島嶼開発途上国における世界遺産サイト保護支援」
　　　　　　　　　　　　　　　　　能力形成及び地域共同体の持続可能な開発の強化
　　　　　　　　　　　　　　　　　2011年〜2016年
●ウガンダ「カスビ王墓再建事業」　リスク管理及び火災防止、藁葺き技術調査、能力形成
　　　　　　　　　　　　　　　　　2013年〜
●グアテマラ「ティカル遺跡保存事業」北アクロポリスの3Dデータの収集及び登録、人材育成
　　　　　　　　　　　　　　　　　2016年〜
●ブータン「南アジア文化的景観支援」ワークショップの開催　2016年〜
●アルゼンチン、ボリビア、チリ、コロンビア、エクアドル、ペルー
　「カパック・ニャンーアンデス道路網の保存支援事業」　モニタリングシステムの設置及び実施
　　　　　　　　　　　　　　　　　2016年〜
●セネガル「ゴレ島の護岸保護支援」ゴレ島南沿岸の緊急対策措置（波止場の再建、世界遺産
　　　　　　　　　　　　　　　　　サイト管理サービスの設置等）　2016年〜
●アルジェリア「カスバの保護支援事業」専門家会合の開催　2016年〜

ユネスコ世界遺産の概要

㉔ 日本の世界遺産条約の締結とその後の世界遺産登録

1992年 6月19日	世界遺産条約締結を国会で承認。
1992年 6月26日	受諾の閣議決定。
1992年 6月30日	受諾書寄託、125番目*の世界遺産条約締約国となる。
	*現在は、旧ユーゴスラヴィアの解体によって、締約国リスト上では、124番目になっている。
1992年 9月30日	わが国について発効。
1992年10月	ユネスコに、奈良の寺院・神社、姫路城、日光の社寺、鎌倉の寺院・神社、法隆寺の仏教建造物、厳島神社、彦根城、琉球王国の城・遺産群、白川郷の集落、京都の社寺、白神山地、屋久島の12件の暫定リストを提出。
1993年12月	第17回世界遺産委員会カルタヘナ会議から世界遺産委員会委員国（任期6年）世界遺産リストに「法隆寺地域の仏教建造物」、「姫路城」、「屋久島」、「白神山地」の4件が登録される。
1994年11月	「世界文化遺産奈良コンファレンス」を奈良市で開催。「オーセンティシティに関する奈良ドキュメント」を採択。
1994年12月	世界遺産リストに「古都京都の文化財（京都市、宇治市、大津市）」が登録される。
1995年 9月	ユネスコの暫定リストに原爆ドームを追加。
1995年12月	世界遺産リストに「白川郷・五箇山の合掌造り集落」が登録される。
1996年12月	世界遺産リストに「広島の平和記念碑（原爆ドーム）」、「厳島神社」の2件が登録される。
1998年11月30日〜12月 5日	第22回世界遺産委員会京都会議（議長：松浦晃一郎氏）
1998年12月	世界遺産リストに「古都奈良の文化財」が登録される。
1999年11月	松浦晃一郎氏が日本人として初めてユネスコ事務局長（第8代）に就任。
1999年12月	世界遺産リストに「日光の社寺」が登録される。
2000年5月18〜21日	世界自然遺産会議・屋久島2000
2000年12月	世界遺産リストに「琉球王国のグスク及び関連遺産群」が登録される。
2001年 4月 6日	ユネスコの暫定リストに「平泉の文化遺産」、「紀伊山地の霊場と参詣道」、「石見銀山遺跡」の3件を追加。
2001年 9月 5日〜9月10日	アジア・太平洋地域における信仰の山の文化的景観に関する専門家会議を和歌山市で開催。
2002年 6月30日	世界遺産条約受諾10周年。
2003年12月	第27回世界遺産委員会マラケシュ会議から2回目の世界遺産委員会委員国（任期4年）
2004年 6月	文化財保護法の一部改正によって、新しい文化財保護の手法として「文化的景観」が新設され、「重要文化的景観」の選定がされるようになった。
2004年 7月	世界遺産リストに「紀伊山地の霊場と参詣道」が登録される。
2005年 7月	世界遺産リストに「知床」が登録される。
2005年10月15〜17日	第2回世界自然遺産会議　白神山地会議
2007年 1月30日	ユネスコの暫定リストに「富岡製糸場と絹産業遺産群」、「小笠原諸島」、「長崎の教会群とキリスト教関連遺産」、「飛鳥・藤原-古代日本の宮都と遺跡群」、「富士山」の5件を追加。
2007年 7月	世界遺産リストに「石見銀山遺跡とその文化的景観」が登録される。
2007年 9月14日	ユネスコの暫定リストに「国立西洋美術館本館」を追加。
2008年 6月	第32回世界遺産委員会ケベック・シティ会議で、「平泉-浄土思想を基調とする文化的景観-」の世界遺産リストへの登録の可否が審議され、わが国の世界遺産登録史上初めての「登録延期」となる。2011年の登録実現をめざす。
2009年 1月 5日	ユネスコの暫定リストに「北海道・北東北を中心とした縄文遺跡群」、「九州・山口の近代化産業遺産群」、「宗像・沖ノ島と関連遺産群」の3件を追加。

2009年 6月	第33回世界遺産委員会セビリア会議で、「ル・コルビジュエの建築と都市計画」（構成資産のひとつが「国立西洋美術館本館」）の世界遺産リストへの登録の可否が審議され、「情報照会」となる。
2009年10月1日～2015年3月18日	国宝「姫路城」大天守、保存修理工事。
2010年 6月	ユネスコの暫定リストに「百舌鳥・古市古墳群」、「金を中心とする佐渡鉱山の遺産群」の2件を追加することを、文化審議会文化財分科会世界文化遺産特別委員会で決議。
2010年 7月	第34回世界遺産委員会ブラジリア会議で、「石見銀山遺跡とその文化的景観」の登録範囲の軽微な変更（442.4ha→529.17ha）がなされる。
2011年 6月	第35回世界遺産委員会パリ会議から3回目の世界遺産委員会委員国（任期4年）「小笠原諸島」、「平泉-仏国土（浄土）を表す建築・庭園及び考古学的遺跡群」の2件が登録される。「ル・コルビュジエの建築作品-近代建築運動への顕著な貢献-」（構成資産のひとつが「国立西洋美術館本館」）は、「登録延期」決議がなされる。
2012年 1月25日	日本政府は、世界遺産条約関係省庁連絡会議を開き、「富士山」（山梨県・静岡県）と「武家の古都・鎌倉」（神奈川県）を、2013年の世界文化遺産登録に向け、正式推薦することを決定。
2012年 7月12日	文化審議会の世界文化遺産特別委員会は、「富岡製糸場と絹産業遺産群」（群馬県）を2014年の世界文化遺産登録推薦候補とすること、それに、2011年に世界遺産リストに登録された「平泉」の登録範囲の拡大と登録遺産名の変更に伴い、追加する構成資産を世界遺産暫定リスト登録候補にすることを了承。
2012年11月6日～8日	世界遺産条約採択40周年記念最終会合が、京都市の国立京都国際会館にて開催される。メインテーマ「世界遺産と持続可能な発展：地域社会の役割」
2013年 1月31日	世界遺産条約関係省庁連絡会議（外務省、文化庁、環境省、林野庁、水産庁、国土交通省、宮内庁で構成）において、世界遺産条約に基づくわが国の世界遺産暫定リストに、自然遺産として「奄美・琉球」を記載することを決定。世界遺産暫定リスト記載の為に必要な書類をユネスコ世界遺産センターに提出。
2013年3月	ユネスコ、対象地域の絞り込みを求め、世界遺産暫定リストへの追加を保留。
2013年 4月30日	イコモス、「富士山」を「記載」、「武家の古都・鎌倉」は「不記載」を勧告。
2013年 6月 4日	「武家の古都・鎌倉」について、世界遺産リスト記載推薦を取り下げることを決定。
2013年 6月22日	第37回世界遺産委員会プノンペン会議で、「富士山-信仰の対象と芸術の源泉」が登録される。
2013年 8月23日	文化審議会世界文化遺産・無形文化遺産部会及び世界文化遺産特別委員会で、「明治日本の産業革命遺産-九州・山口と関連遺産-」を2015年の世界遺産候補とすることを決定。
2014年1月	「奄美・琉球」、世界遺産暫定リスト記載の為に必要な書類をユネスコ世界遺産センターに再提出。
2014年 6月21日	第38回世界遺産委員会ドーハ会議で、「富岡製糸場と絹産業遺産群」が登録される。
2014年 7月10日	文化審議会世界文化遺産・無形文化遺産部会及び世界文化遺産特別委員会で、「長崎の教会群とキリスト教関連遺産」を2016年の世界遺産候補とすることを決定。
2014年10月	奈良文書20周年記念会合（奈良県奈良市）において、「奈良＋20」を採択。
2015年 5月 4日	イコモス、「明治日本の産業革命遺産-九州・山口と関連遺産-」について、「記載」を勧告。
2015年 7月 5日	第39回世界遺産委員会ボン会議で、「明治日本の産業革命遺産：製鉄・製鋼、造船、石炭産業」について、議長の差配により審議なしで登録が決議された後、日本及び韓国からステートメントが発せられた。
2015年 7月	第39回世界遺産委員会ボン会議で、「世界遺産条約履行の為の作業指針」が改訂され、アップストリーム・プロセス（登録推薦に際して、締約国が諮問機関や世界遺産センターに技術的支援を要請できる仕組み）が制度化された。

ユネスコ世界遺産の概要

2015年 7月28日	文化審議会世界文化遺産・無形文化遺産部会で、「『神宿る島』宗像・沖ノ島と関連遺産群」を2017年の世界遺産候補とすることを決定。
2016年 1月	「紀伊山地の霊場と参詣道」の軽微な変更（「熊野参詣道」及び「高野参詣道」について、延長約41.1km、面積11.1haを追加）申請書をユネスコ世界遺産センターへ提出。（第40回世界遺産委員会イスタンブール会議において承認）
2016年 1月	「富士山ー信仰の対象と芸術の源泉」の保全状況報告書をユネスコ世界遺産センターに提出。（2016年7月の第40回世界遺産委員会イスタンブール会議で審議）
2016年 2月1日	「奄美大島、徳之島、沖縄島北部及び西表島」世界遺産暫定リストに記載。
2016年 2月	イコモスの中間報告において、「長崎の教会群とキリスト教関連遺産」について、「長崎の教会群」の世界遺産としての価値を、「禁教・潜伏期」に焦点をあてた内容に見直すべきとの評価が示され推薦を取下げ、修正後、2018年の登録をめざす。
2016年 5月17日	フランスなどとの共同推薦の「ル・コルビュジエの建築作品ー近代建築運動への顕著な貢献ー」（日本の推薦物件は「国立西洋美術館」）、「登録記載」の勧告。
2016年 7月17日	第40回世界遺産委員会イスタンブール会議で、「ル・コルビュジエの建築作品ー近代建築運動への顕著な貢献ー」が登録される。（フランスなど7か国17資産）
2016年 7月25日	文化審議会において、「長崎の教会群とキリスト教関連遺産」を2018年の世界遺産候補とすることを決定。（→「長崎と天草地方の潜伏キリシタン関連遺産」）
2017年 1月20日	「奄美大島、徳之島、沖縄島北部及び西表島」ユネスコへ世界遺産登録推薦書を提出。
2017年 6月30日	世界遺産条約受諾25周年。
2017年 7月 8日	第41回世界遺産委員会クラクフ会議で、「『神宿る島』宗像・沖ノ島と関連遺産群」が登録される。（8つの構成資産すべて認められる）
2017年 7月31日	文化庁の文化審議会世界文化遺産部会で「百舌鳥・古市古墳群」を2019年の世界遺産推薦候補とすることを決定。9月に開催される世界遺産条約関係省庁連絡会議（政府の推薦決定）を経て国内の推薦が決まる。
2019年 7月30日	文化庁の文化審議会世界文化遺産部会で「北海道・北東北の縄文遺跡群」を2021年の世界遺産推薦候補とすることを決定。9月に開催される世界遺産条約関係省庁連絡会議（政府の推薦決定）を経て国内の推薦が決まる。
2022年 6月30日	世界遺産条約締約30周年。
2023年 7月	世界遺産暫定リスト記載物件の滋賀県の国宝「彦根城」、今年から始まるユネスコの諮問機関ICOMOSが関与して助言する「事前評価制度」（9月15日が申請期限。評価の結果は約1年後に示される）を活用する方針。

25 日本のユネスコ世界遺産

2023年12月現在、25物件（自然遺産 5物件、文化遺産20物件）が「世界遺産リスト」に登録されており、世界第11位である。

❶法隆寺地域の仏教建造物　　奈良県生駒郡斑鳩町
　文化遺産（登録基準(i)(ii)(iv)(vi)）　1993年

❷姫路城　兵庫県姫路市本町　　文化遺産（登録基準(i)(iv)）　1993年

③白神山地　　青森県（西津軽郡鰺ヶ沢町、深浦町、中津軽郡西目屋村）
　　　　　　　秋田県（山本郡藤里町、八峰町、能代市）　自然遺産（登録基準(ix)）　1993年

④屋久島　鹿児島県熊毛郡屋久島町　　自然遺産（登録基準(vii)(ix)）　1993年

❺古都京都の文化財（京都市 宇治市 大津市）
　京都府（京都市、宇治市）、滋賀県（大津市）　文化遺産（登録基準(ii)(iv)）　1994年

❻白川郷・五箇山の合掌造り集落　　岐阜県（大野郡白川村）、富山県（南砺市）
　文化遺産（登録基準(iv)(v)）　1995年

❼広島の平和記念碑（原爆ドーム） 広島県広島市中区大手町　文化遺産（登録基準(vi)）　1996年

❽厳島神社　広島県廿日市市宮島町　文化遺産（登録基準(i)(ii)(iv)(vi)）　1996年

❾古都奈良の文化財　奈良県奈良市　文化遺産（登録基準(ii)(iii)(iv)(vi)）　1998年

❿日光の社寺　　栃木県日光市　　文化遺産(登録基準(i)(iv)(vi))　　1999年
⓫琉球王国のグスク及び関連遺産群
　　沖縄県(那覇市、うるま市、国頭郡今帰仁村、中頭郡読谷村、北中城村、中城村、南城市)
　　文化遺産(登録基準(ii)(iii)(vi))　　2000年
⓬紀伊山地の霊場と参詣道
　　三重県(尾鷲市、熊野市、度会郡大紀町、北牟婁郡紀北町、南牟婁郡御浜町、紀宝町)
　　奈良県(吉野郡吉野町、黒滝村、天川村、野迫川村、十津川村、下北山村、上北山村、川上村)
　　和歌山県(新宮市、田辺市、橋本市、伊都郡かつらぎ町、九度山町、高野町、西牟婁郡白浜町、すさ
　　み町、上富田町、東牟婁郡那智勝浦町、串本町)
　　文化遺産(登録基準(ii)(iii)(iv)(vi))　　2004年／2016年
⓭知床　　　　北海道(斜里郡斜里町、目梨郡羅臼町)　　　自然遺産(登録基準(ix)(x))　　　2005年
⓮石見銀山遺跡とその文化的景観　　　島根県大田市
　　文化遺産 (登録基準(ii)(iii)(v))　　2007年／2010年
⓯平泉－仏国土(浄土)を表す建築・庭園及び考古学的遺跡群
　　岩手県西磐井郡平泉町　　　文化遺産(登録基準(ii)(vi))　　2011年
⓰小笠原諸島　　東京都小笠原村　　　自然遺産(登録基準(ix))　　　2011年
⓱富士山－信仰の対象と芸術の源泉
　　山梨県(富士吉田市、富士河口湖町、忍野村、山中湖村、鳴沢村)
　　静岡県(富士宮市、富士市、御殿場市、裾野市、小山町)
　　文化遺産 (登録基準(iii)(vi))　　2013年
⓲富岡製糸場と絹産業遺産群　　　群馬県(富岡市、藤岡市、伊勢崎市、下仁田町)
　　文化遺産(登録基準(ii)(iv))　　2014年
⓳明治日本の産業革命遺産：製鉄・製鋼、造船、石炭産業
　　福岡県(北九州市、大牟田市、中間市)、佐賀県(佐賀市)、長崎県(長崎市)、熊本県(荒尾市、宇城市)、
　　鹿児島県(鹿児島市)、山口県(萩市)、岩手県(釜石市)、静岡県(伊豆の国市)
　　文化遺産(登録基準(ii)(iv))　　2015年
⓴ル・コルビュジエの建築作品－近代建築運動への顕著な貢献－
　　フランス／スイス／ベルギー／ドイツ／インド／日本（東京都台東区）／アルゼンチン
　　文化遺産(登録基準(i)(ii)(vi))　　2016年
㉑「神宿る島」宗像・沖ノ島と関連遺産群　　　福岡県(宗像市、福津市)
　　文化遺産(登録基準(ii)(iii))　　2017年
㉒長崎と天草地方の潜伏キリシタン関連遺産
　　長崎県(長崎市、佐世保市、平戸市、五島市、南島原市、小値賀町、新上五島町)、熊本県(天草市)
　　文化遺産(登録基準(ii)(iii))　　2018年
㉓百舌鳥・古市古墳群：古代日本の墳墓群　大阪府（堺市、羽曳野市、藤井寺市）
　　文化遺産(登録基準(iii) (iv))　　2019年
㉔奄美大島、徳之島、沖縄島北部及び西表島
　　自然遺産(登録基準(x))　　2021年
㉕北海道・北東北ノ縄文遺跡群
　　文化遺産(登録基準((iii)(v)))　　2021年

㉖ 日本の世界遺産暫定リスト記載物件

　　世界遺産締約国は、世界遺産委員会から将来、世界遺産リストに登録する為の候補物件につい
て、暫定リスト(Tentative List)の目録を提出することが求められている。わが国の暫定リスト
記載物件は、次の5件である。
　●古都鎌倉の寺院・神社ほか（神奈川県　1992年暫定リスト記載）
　　　●「武家の古都・鎌倉」2013年5月、「不記載」勧告。→登録推薦書類「取り下げ」
　●彦根城（滋賀県　1992年暫定リスト記載）
　●飛鳥・藤原－古代日本の宮都と遺跡群（奈良県　2007年暫定リスト記載）
　●金を中心とする佐渡鉱山の遺産群（新潟県　2010年暫定リスト記載）
　●平泉－仏国土(浄土)を表す建築・庭園及び考古学的遺跡群＜登録範囲の拡大＞
　　（岩手県　2013年暫定リスト記載）

27 ユネスコ世界遺産の今後の課題

- 「世界遺産リスト」への登録物件の厳選、精選、代表性、信用(信頼)性の確保。
- 世界遺産委員会へ諮問する専門機関(IUCNとICOMOS)の勧告と世界遺産委員会の決議との乖離(いわゆる逆転登録)の是正。
- 世界遺産にふさわしいかどうかの潜在的OUV（顕著な普遍的価値）の有無等を書面審査で評価する「事前評価」(preliminary assessment)の導入。
- 行き過ぎたロビー活動を規制する為の規則を、オペレーショナル・ガイドラインズに反映することについての検討。
- 締約国と専門機関(IUCNとICOMOS)との対話の促進と手続きの透明性の確保。
- 同種、同類の登録物件のシリアルな再編と統合。
  例示：イグアス国立公園(アルゼンチンとブラジル)
  　　　サンティアゴ・デ・コンポステーラへの巡礼道(スペインとフランス)
  　　　スンダルバンス国立公園(インド)とサンダーバンズ(バングラデシュ)
  　　　古代高句麗王国の首都群と古墳群(中国)と高句麗古墳群(北朝鮮)　など。
- 「世界遺産リスト」への登録物件の上限数の検討。
- 世界遺産の効果的な保護(Conservation)の確保。
- 世界遺産登録時の真正性或は真実性（Authenticity)や完全性(Integrity)が損なわれた場合の世界遺産リストからの抹消。
- 類似物件、同一カテゴリーの物件との合理的な比較分析。→　暫定リストの充実
- 登録物件数の地域的不均衡(ヨーロッパ・北米偏重)の解消。
- 自然遺産と文化遺産の登録物件数の不均衡(文化遺産偏重)の解消。
- グローバル・ストラテジー(文化的景観、産業遺産、20世紀の建築等)の拡充。
- 「文化的景観」、「歴史的町並みと街区」、「運河に関わる遺産」、「遺産としての道」など、特殊な遺産の世界遺産リストへの登録。
- 危機にさらされている世界遺産（★【危機遺産】）への登録手続きの迅速化などの緊急措置。
- 新規登録の選定作業よりも、既登録の世界遺産のモニタリングなど保全管理を重視し、危機遺産比率を下げていくことへの注力。
- 複数国にまたがるシリアル・ノミネーション(トランスバウンダリー・ノミネーション)の保全管理にあたって、全体の「顕著な普遍的価値」が損なわれないよう、構成資産のある当事国や所有管理者間のコミュニケーションを密にし、全体像の中での各構成資産の位置づけなどの解説や説明など全体管理を行なう為の組織の組成とガイダンス施設の充実。
- インターネットからの現地情報の収集など実効性のある監視強化メカニズム(Reinforced Monitoring Mechanism)の運用。
- 「気候変動が世界遺産に及ぼす影響」など地球環境問題への戦略的対応。
- 世界遺産管理におけるHIA(Heritage Impact Assessment　文化遺産のもつ価値への開発等による影響度合いの評価）の重要性の認識と活用方法。
- 世界遺産条約締約国が、世界遺産条約の理念や本旨を遵守しない場合の制裁措置等の検討。
- 世界遺産条約をまだ締約していない国・地域（ナウル、リヒテンシュタイン）の条約締約の促進。
- 世界遺産条約を締約しているが、まだ世界遺産登録のない国(ブルンジ、コモロ、リベリア、シエラレオネ、スワジランド、ギニア・ビサウ、サントメ・プリンシペ、ジブチ、赤道ギニア、南スーダン、クウェート、モルジブ、ニウエ、サモア、ブータン、トンガ、クック諸島、ブルネイ、東ティモール、モナコ、ガイアナ、グレナダ、セントヴィンセントおよびグレナディーン諸島、トリニダード・トバコ、バハマ)からの最低1物件以上の世界遺産登録の促進。
- 世界遺産条約を締約していない国・地域の世界遺産(なかでも★【危機遺産】）の取扱い。
- 世界遺産条約を締約しているが、まだ世界遺産暫定リストを作成していない国(赤道ギニア、サントメ・プリンシペ、南スーダン、ブルネイ、クック諸島、ニウエ、東ティモール)への作成の促進。
- 無形文化遺産保護条約、世界の記憶(Memory of the World）との連携。
- 世界遺産から無形遺産も含めたグローバル、一体的な地球遺産へ。
- 世界遺産基金の充実と世界銀行など国際金融機関との連携。
- 世界遺産を通じての国際交流と国際協力の促進。
- 世界遺産地の博物館、美術館、情報センター、ビジターセンターなどのガイダンス施設の充実。
- 国連「世界遺産のための国際デー」(11月16日)の制定。

28 ユネスコ世界遺産を通じての総合学習

- ●世界平和や地球環境の大切さ
- ●世界遺産の鑑賞とその価値（歴史性、芸術性、文化性、景観上、保存上、学術上など）
- ●地球の活動の歴史と生物多様性（自然景観、地形・地質、生態系、生物多様性など）
- ●人類の功績、所業、教訓（遺跡、建造物群、モニュメントなど）
- ●世界遺産の多様性（自然の多様性、文化の多様性）
- ●世界遺産地の民族、言語、宗教、地理、歴史、伝統、文化
- ●世界遺産の保護と地域社会の役割
- ●世界遺産と人間の生活や生業との関わり
- ●世界遺産を取り巻く脅威、危険、危機
- ●世界遺産の保護・保全・保存の大切さ
- ●世界遺産の利活用（教育、観光、地域づくり、まちづくり）
- ●国際理解、異文化理解
- ●世界遺産教育、世界遺産学習
- ●広い視野に立って物事を考えることの大切さ
- ●郷土愛、郷土を誇りに思う気持ちの大切さ
- ●人と人とのつながりや絆の大切さ
- ●地域遺産を守っていくことの大切さ
- ●ヘリティッジ・ツーリズム、ライフ・ビヨンド・ツーリズム、カルチュラル・ツーリズム、エコ・ツーリズムなど

29 今後の世界遺産委員会等の開催スケジュール

2024年 7月21日〜 7月31日　第46回世界遺産委員会ニュー・デリー（インド）会議

30 世界遺産条約の将来

●世界遺産の6つの将来目標

- ◎世界遺産の「顕著な普遍的価値」（OUV）の維持
- ◎世界で最も「顕著な普遍的価値」のある文化・自然遺産の世界遺産リストの作成
- ◎現在と将来の環境的、社会的、経済的なニーズを考慮した遺産の保護と保全
- ◎世界遺産のブランドの質の維持・向上
- ◎世界遺産委員会の政策と戦略的重要事項の表明
- ◎定例会合での決議事項の周知と効果的な履行

●世界遺産条約履行の為の戦略的行動

- ◎信用性、代表性、均衡性のある「世界遺産リスト」である為のグローバル戦略の履行と自発的な保全へ取組みとの連携（PACT＝世界遺産パートナー・イニシアティブ）に関するユネスコの外部監査による独立的評価
- ◎世界遺産の人材育成戦略
- ◎災害危険の軽減戦略
- ◎世界遺産地の気候変動のインパクトに関する政策
- ◎下記のテーマに関する専門家グループ会合開催の推奨
  - ○ 世界遺産の保全への取組み
  - ○ 世界遺産委員会などでの組織での意思決定の手続き
  - ○ 世界遺産委員会での登録可否の検討に先立つ前段プロセス（早い段階での諮問機関のICOMOSやIUCNと登録申請国との対話等、3月末締切りのアップストリーム・プロセス）の改善
  - ○ 世界遺産条約における保全と持続可能な発展との関係
  - ＜出所＞2011年第18回世界遺産条約締約国パリ総会での決議事項に拠る。

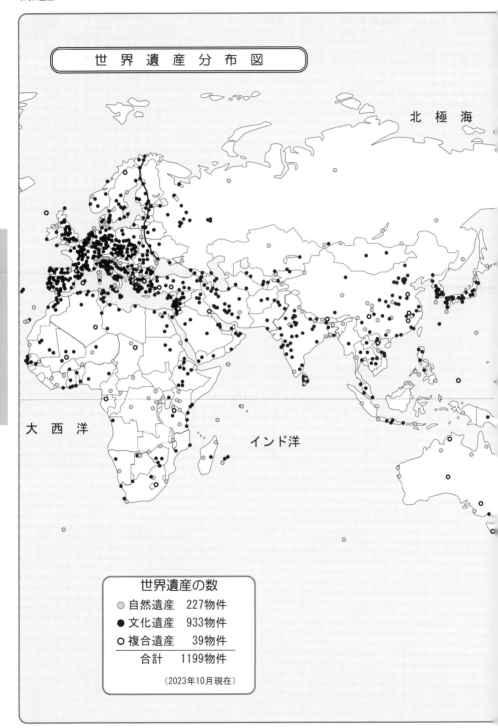

世 界 遺 産 分 布 図

北 極 海

大 西 洋

インド洋

世界遺産の数
◎ 自然遺産　227物件
● 文化遺産　933物件
○ 複合遺産　39物件
合計　1199物件

（2023年10月現在）

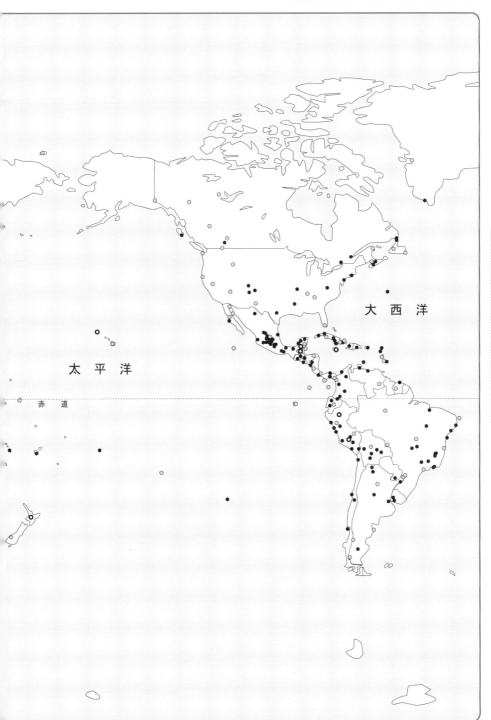

大 西 洋

太 平 洋

赤 道

図表で見るユネスコ世界遺産

図表で見るユネスコ世界遺産

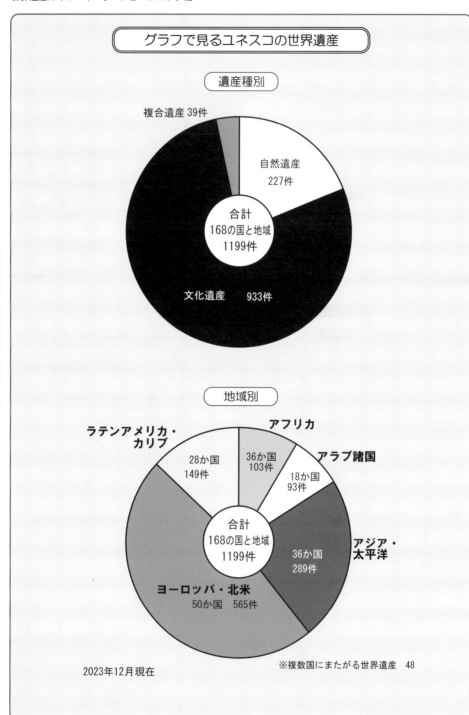

グラフで見るユネスコの世界遺産

遺産種別

複合遺産 39件

自然遺産
227件

合計
168の国と地域
1199件

文化遺産　　933件

地域別

ラテンアメリカ・
カリブ

アフリカ

アラブ諸国

28か国
149件

36か国
103件

18か国
93件

合計
168の国と地域
1199件

36か国
289件

アジア・
太平洋

ヨーロッパ・北米
50か国　　565件

2023年12月現在

※複数国にまたがる世界遺産　48

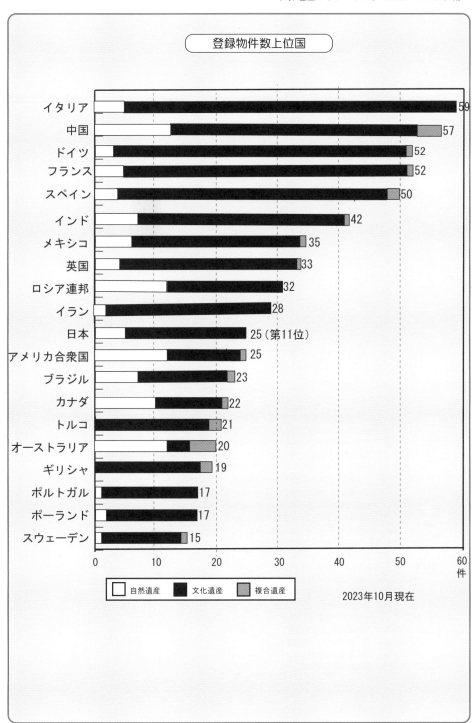

登録物件数上位国

国	件数
イタリア	59
中国	57
ドイツ	52
フランス	52
スペイン	50
インド	42
メキシコ	35
英国	33
ロシア連邦	32
イラン	28
日本	25（第11位）
アメリカ合衆国	25
ブラジル	23
カナダ	22
トルコ	21
オーストラリア	20
ギリシャ	19
ポルトガル	17
ポーランド	17
スウェーデン	15

□ 自然遺産　■ 文化遺産　▨ 複合遺産

2023年10月現在

図表で見るユネスコ世界遺産

図表で見るユネスコ世界遺産

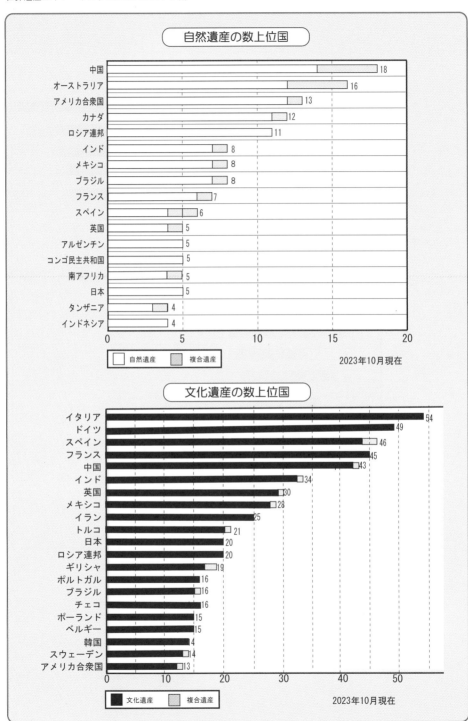

自然遺産の数上位国

国	数
中国	18
オーストラリア	16
アメリカ合衆国	13
カナダ	12
ロシア連邦	11
インド	8
メキシコ	8
ブラジル	8
フランス	7
スペイン	6
英国	5
アルゼンチン	5
コンゴ民主共和国	5
南アフリカ	5
日本	5
タンザニア	4
インドネシア	4

□ 自然遺産　▨ 複合遺産　　2023年10月現在

文化遺産の数上位国

国	数
イタリア	54
ドイツ	49
スペイン	46
フランス	45
中国	43
インド	34
英国	30
メキシコ	28
イラン	25
トルコ	21
日本	20
ロシア連邦	20
ギリシャ	19
ポルトガル	16
ブラジル	16
チェコ	16
ポーランド	15
ベルギー	15
韓国	14
スウェーデン	14
アメリカ合衆国	13

■ 文化遺産　▨ 複合遺産　　2023年10月現在

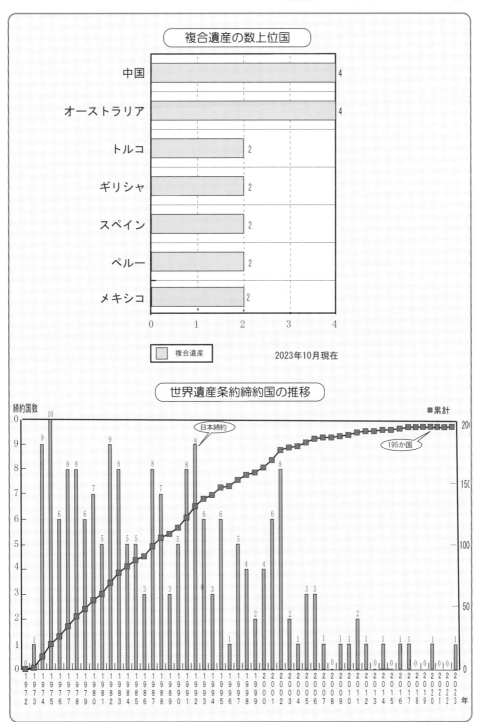

複合遺産の数上位国

中国 4
オーストラリア 4
トルコ 2
ギリシャ 2
スペイン 2
ペルー 2
メキシコ 2

☐ 複合遺産　　　2023年10月現在

図表で見るユネスコ世界遺産

世界遺産条約締約国の推移

締約国数　　　　　　　　　　　　　　■累計

日本締約

195か国

図表で見るユネスコ世界遺産

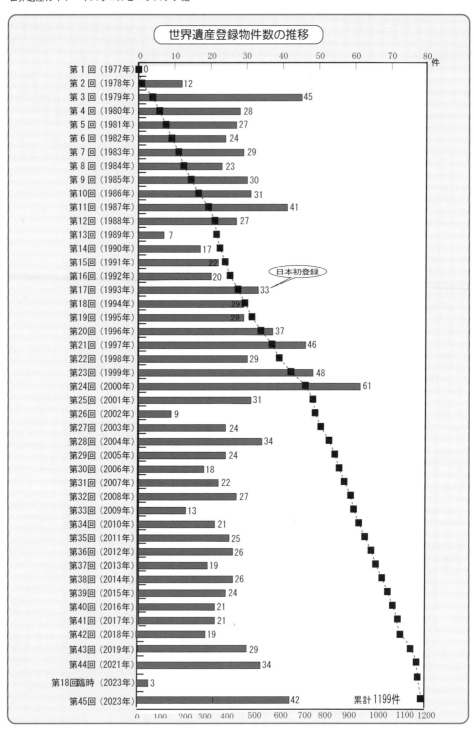

世界遺産登録物件数の推移

回	件数
第1回（1977年）	0
第2回（1978年）	12
第3回（1979年）	45
第4回（1980年）	28
第5回（1981年）	27
第6回（1982年）	24
第7回（1983年）	29
第8回（1984年）	23
第9回（1985年）	30
第10回（1986年）	31
第11回（1987年）	41
第12回（1988年）	27
第13回（1989年）	7
第14回（1990年）	17
第15回（1991年）	22
第16回（1992年）	20
第17回（1993年）	33
第18回（1994年）	29
第19回（1995年）	29
第20回（1996年）	37
第21回（1997年）	46
第22回（1998年）	29
第23回（1999年）	48
第24回（2000年）	61
第25回（2001年）	31
第26回（2002年）	9
第27回（2003年）	24
第28回（2004年）	34
第29回（2005年）	24
第30回（2006年）	18
第31回（2007年）	22
第32回（2008年）	27
第33回（2009年）	13
第34回（2010年）	21
第35回（2011年）	25
第36回（2012年）	26
第37回（2013年）	19
第38回（2014年）	26
第39回（2015年）	24
第40回（2016年）	21
第41回（2017年）	21
第42回（2018年）	19
第43回（2019年）	29
第44回（2021年）	34
第18回臨時（2023年）	3
第45回（2023年）	42

日本初登録

累計1199件

世界遺産と危機遺産の数の推移と比率

年	登録物件数（危機遺産数 割合）
1977年	0 (0 0%)
1978年	12 (0 0%)
1979年	57 (1 1.75%)
1980年	85 (1 1.18%)
1981年	112 (1 0.89%)
1982年	136 (2 1.47%)
1983年	165 (2 1.21%)
1984年	186 (5 2.69%)
1985年	216 (6 2.78%)
1986年	247 (7 2.83%)
1987年	288 (7 2.43%)
1988年	315 (7 2.22%)
1989年	322 (7 2.17%)
1990年	336 (8 2.38%)
1991年	358 (10 2.79%)
1992年	378 (15 3.97%)
1993年	411 (16 3.89%)
1994年	440 (17 3.86%)
1995年	469 (18 3.84%)
1996年	506 (22 4.35%)
1997年	552 (25 4.53%)
1998年	582 (23 3.95%)
1999年	630 (27 4.29%)
2000年	690 (30 4.35%)
2001年	721 (31 4.30%)
2002年	730 (33 4.52%)
2003年	754 (35 4.64%)
2004年	788 (35 4.44%)
2005年	812 (34 4.19%)
2006年	830 (31 3.73%)
2007年	851 (30 3.53%)
2008年	878 (30 3.42%)
2009年	890 (31 3.48%)
2010年	911 (34 3.73%)
2011年	936 (35 3.74%)
2012年	962 (38 3.95%)
2013年	981 (44 4.49%)
2014年	1007 (46 4.57%)
2015年	1031 (48 4.66%)
2016年	1052 (55 5.23%)
2017年	1073 (54 5.03%)
2018年	1092 (54 4.95%)
2019年	1121 (53 4.73%)
2021年	1154 (52 4.51%)
2023年（臨時）	1157 (55 4.75%)
2023年	1199 (56 4.67%)

0　200　400　600　800　1000　1200 件
登録物件数（危機遺産数　**割合**）

図表で見るユネスコ世界遺産

シンクタンクせとうち総合研究機構

世界遺産委員会別登録物件数の内訳

回次	開催年	登録物件数 自然	文化	複合	合計	登録物件数（累計）自然	文化	複合	累計	備考
第1回	1977年	0	0	0	0	0	0	0	0	①オフリッド湖〈自然遺産〉
第2回	1978年	4	8	0	12	4	8	0	12	（マケドニア*1979年登録）
第3回	1979年	10	34	1	45	14	42	1	57	→文化遺産加わり複合遺産に
第4回	1980年	6	23	0	29	19①	65	2①	86	*当時の国名はユーゴスラヴィア
第5回	1981年	9	15	2	26	28	80	4	112	②バージェス頁岩遺跡〈自然遺産〉
第6回	1982年	5	17	2	24	33	97	6	136	（カナダ1980年登録）
第7回	1983年	9	19	1	29	42	116	7	165	→「カナディアンロッキー山脈公園」
第8回	1984年	7	16	0	23	48②	131③	7	186	として再登録。上記物件を統合
第9回	1985年	4	25	1	30	52	156	8	216	③グアラニー人のイエズス会伝道所
第10回	1986年	8	23	0	31	60	179	8	247	〈文化遺産〉（ブラジル1983年登録）
第11回	1987年	8	32	1	41	68	211	9	288	→アルゼンチンにある物件が登録
第12回	1988年	5	19	3	27	73	230	12	315	され、1件とみなされることに
第13回	1989年	2	4	1	7	75	234	13	322	④ウエストランド、マウント・クック
第14回	1990年	5	11	1	17	77④	245	14	336	国立公園〈自然遺産〉
第15回	1991年	6	16	0	22	83	261	14	358	フィヨルドランド国立公園〈自然遺産〉
第16回	1992年	4	16	0	20	86⑤	277	15⑤	378	（ニュージーランド1986年登録）
第17回	1993年	4	29	0	33	89⑥	306	16⑥	411	→「テ・ワヒポナム」として再登録。
第18回	1994年	8	21	0	29	96⑦	327	17⑦	440	上記2物件を統合し1物件に
第19回	1995年	6	23	0	29	102	350	17	469	⑤リオ・アビセオ国立公園〈自然遺産〉
第20回	1996年	5	30	2	37	107	380	19	506	（ペルー）
第21回	1997年	7	38	1	46	114	418	20	552	→文化遺産加わり複合遺産に
第22回	1998年	3	27	0	30	117	445	20	582	⑥トンガリロ国立公園〈自然遺産〉
第23回	1999年	11	35	2	48	128	480	22	630	（ニュージーランド）
第24回	2000年	10	50	1	61	138	529⑧	23	690	→文化遺産加わり複合遺産に
第25回	2001年	6	25	0	31	144	554	23	721	⑦ウルル・カタ・ジュタ国立公園
第26回	2002年	0	9	0	9	144	563	23	730	〈自然遺産〉（オーストラリア）
第27回	2003年	5	19	0	24	149	582	23	754	→文化遺産加わり複合遺産に
第28回	2004年	5	29	0	34	154	611	23	788	⑧シャンボール城〈文化遺産〉
第29回	2005年	7	17	0	24	160⑨	628	24⑨	812	（フランス1981年登録）
第30回	2006年	2	16	0	18	162	644	24	830	→「シュリー・シュルロワールと
第31回	2007年	5	16	1	22	166⑩	660	25	851	シャロンヌの間のロワール渓谷」
第32回	2008年	8	19	0	27	174	679	25	878	として再登録。上記物件を統合
第33回	2009年	2	11	0	13	176	689⑪	25	890	⑨セント・キルダ〈自然遺産〉
第34回	2010年	5	15	1	21	180⑫	704	27⑫	911	（イギリス1986年登録）
第35回	2011年	3	21	1	25	183	725	28	936	→文化遺産加わり複合遺産に
第36回	2012年	5	20	1	26	188	745	29	962	⑩アラビアン・オリックス保護区
第37回	2013年	5	14	0	19	193	759	29	981	〈自然遺産〉（オマーン1994年登録）
第38回	2014年	4	21	1	26	197	779⑬	31⑬	1007	→登録抹消
第39回	2015年	0	23	1	24	197	802	32	1031	⑪ドレスデンのエルベ渓谷
第40回	2016年	6	12	3	21	203	814	35	1052	〈文化遺産〉（ドイツ2004年登録）
第41回	2017年	3	18	0	21	206	832	35	1073	→登録抹消
第42回	2018年	3	13	3	19	209	845	38	1092	⑫ゴロンゴロ保全地域〈自然遺産〉
第43回	2019年	4	24	1	29	213	869	39	1121	（タンザニア1978年登録）
第44回	2021年	5	29	0	34	218	897	39	1154	→文化遺産加わり複合遺産に
臨 時	2023年	0	3	0	3	218	900	39	1157	⑬カラクムルのマヤ都市〈文化遺産〉
第45回	2023年	9	33	0	42	227	933	39	1199	（メキシコ2002年登録） →自然遺産加わり複合遺産に

図表で見るユネスコ世界遺産

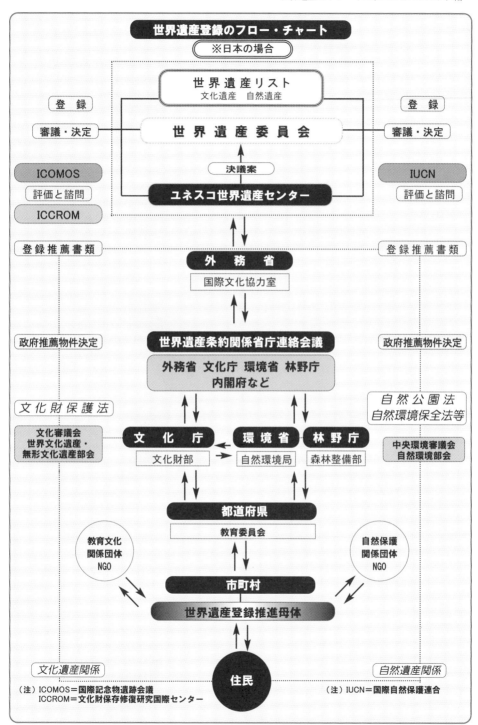

世界遺産登録のフロー・チャート

※日本の場合

世界遺産リスト
文化遺産　自然遺産

世 界 遺 産 委 員 会

登　録 ──── 審議・決定 ──── 審議・決定 ──── 登　録

ICOMOS　評価と諮問　ICCROM

決議案

ユネスコ世界遺産センター

IUCN　評価と諮問

登録推薦書類 ──── 外　務　省　──── 登録推薦書類
国際文化協力室

政府推薦物件決定 ── 世界遺産条約関係省庁連絡会議 ── 政府推薦物件決定
外務省　文化庁　環境省　林野庁
内閣府など

文化財保護法

文化審議会
世界文化遺産・
無形文化遺産部会

文　化　庁　　環　境　省　　林　野　庁
文化財部　　　自然環境局　　森林整備部

自然公園法
自然環境保全法等

中央環境審議会
自然環境部会

都道府県
教育委員会

教育文化
関係団体
NGO

市町村

世界遺産登録推進母体

自然保護
関係団体
NGO

住民

文化遺産関係

（注）ICOMOS＝国際記念物遺跡会議
　　　ICCROM＝文化財保存修復研究国際センター

自然遺産関係

（注）IUCN＝国際自然保護連合

図表で見るユネスコ世界遺産

コア・ゾーン（推薦資産）

登録推薦資産を効果的に保護するたに明確に設定された境界線。

境界線の設定は、資産の「顕著な普遍的価値」及び完全性及び真正性が十分に表現されることを保証するように行われなければならない。　　　　　　　ha

- ●文化財保護法
  国の史跡指定
  国の重要文化的景観指定など
- ●自然公園法
  国立公園、国定公園
- ●都市計画法
  国営公園

登録範囲

バッファー・ゾーン（緩衝地帯）

推薦資産の効果的な保護を目的として、推薦資産を取り囲む地域に、法的または慣習的手法により補完的な利用・開発規制を敷くことにより設けられるもうひとつの保護の網。推薦資産の直接のセッティング（周辺の環境）、重要な景色やその他資産の保護を支える重要な機能をもつ地域または特性が含まれるべきである。　　　　　　　ha

- ●景観条例
- ●環境保全条例

長期的な保存管理計画

登録推薦資産の現在及び未来にわたる効果的な保護を担保するために、各資産について、資産の「顕著な普遍的価値」をどのように保全すべきか（参加型手法を用いることが望ましい）について明示した適切な管理計画のこと。どのような管理体制が効果的かは、登録推薦資産のタイプ、特性、ニーズや当該資産が置かれた文化、自然面での文脈によっても異なる。管理体制の形は、文化的視点、資源量その他の要因によって、様々な形式をとり得る。伝統的手法、既存の都市計画や地域計画の手法、その他の計画手法が使われることが考えられる。

- ●管理主体
- ●管理体制
- ●管理計画

- ●記録・保存・継承
- ●公開・活用（教育、観光、まちづくり）

- ●地域計画、都市計画
- ●協働のまちづくり

担保条件

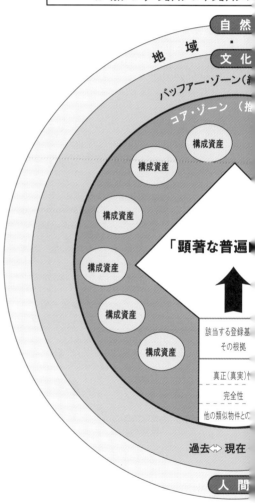

世界遺産登録と「顕著な普遍的

顕著な普遍的価値（ Outstandi

国家間の境界を超越し、人類全体にとって現代及び将来
文化的な意義及び/又は自然的な価値を意味する。従っ
国際社会全体にとって最高水準の重要性を有する。

ローカル ⇨ リージョナル ⇨ ナショナル ⇨

自　然

地　域

文　化

バッファー・ゾーン（緩

コア・ゾーン（推

構成資産
構成資産
構成資産
構成資産
構成資産
構成資産

「顕著な普遍

該当する登録基
その根拠

真正（真実）性

完全性

他の類似物件との

過去⇔現在

人　間

登録遺産名：○○○○○○○○○○○○
日本語表記：○○○○○○○○○○○○
位置（経緯度）：北緯○○度○○分　東経○○
登録遺産の説明と概要：○○○○○○○○○○
　　　　　　　　　　　○○○○○○○○○○

必要十分条件の証明

「」の考え方について

al Value＝OUV）

た重要性をもつような、傑出した
遺産を恒久的に保護することは

ナル ⇨ グローバル

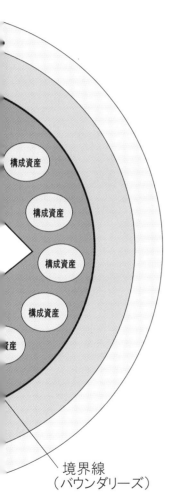

構成資産

構成資産

構成資産

構成資産

産

境界線
（バウンダリーズ）

（英語）
○○○
○○○○○○○○
○○○○

| 必要条件 | **登録基準（クライテリア）** |

（i）人類の創造的天才の傑作を表現するもの。
　→人類の創造的天才の傑作
（ii）ある期間を通じて、または、ある文化圏において、建築、技術、
　記念碑的芸術、町並み計画、景観デザインの発展に関し、人類の
　価値の重要な交流を示すもの。
　→人類の価値の重要な交流を示すもの
（iii）現存する、または、消滅した文化的伝統、または、文明の、唯一の、
　または、少なくとも稀な証拠となるもの。
　→文化的伝統、文明の稀な証拠
（iv）人類の歴史上重要な時代を例証する、ある形式の建造物、建築物群、
　技術の集積、または、景観の顕著な例。
　→歴史上、重要な時代を例証する優れた例
（v）特に、回復困難な変化の影響下で損傷されやすい状態にある場合に
　おける、ある文化（または、複数の文化）、或は、環境と人間との
　相互作用、を代表する伝統的集落、または、土地利用の顕著な例。
　→存続が危ぶまれている伝統的集落、土地利用の際立つ例
（vi）顕著な普遍的意義を有する出来事、現存する伝統、思想、信仰、
　または、芸術的、文学的作品と、直接に、または、明白に関連する
　もの。
　→普遍的出来事、伝統、思想、信仰、芸術、文学作品と関連するもの
（vii）もっともすばらしい自然現象、または、ひときわすぐれた自然美
　をもつ地域、及び、美的な重要性を含むもの。**→自然景観**
（viii）地球の歴史上の主要な段階を示す顕著な見本であるもの。
　これには、生物の記録、地形の発達における重要な地学的進行過程、
　或は、重要な地形的、または、自然地理的特性などが含まれる。
　→地形・地質
（ix）陸上、淡水、沿岸、及び、海洋生態系と動植物群集の進化と発達に
　おいて、進行しつつある重要な生態学的、生物学的プロセスを示す
　顕著な見本であるもの。**→生態系**
（x）生物多様性の本来的保全にとって、もっとも重要かつ意義深い自然
　生息地を含んでいるもの。これには、科学上、または、保全上の観
　点から、普遍的価値をもつ絶滅の恐れのある種が存在するものを
　含む。
　→生物多様性

※上記の登録基準（i）～（x）のうち、一つ以上の登録基準を満たすと
　共に、それぞれの根拠となる説明が必要。

真正（真実）性（オーセンティシティ）

文化遺産の種類、その文化的文脈によって一様ではないが、資産
の文化的価値（上記の登録基準）が、下に示すような多様な属性
における表現において真実かつ信用性を有する場合に、真正性の
条件を満たしていると考えられ得る。
○形状、意匠
○材料、材質
○用途、機能
○伝統、技能、管理体制
○位置、セッティング（周辺の環境）
○言語その他の無形遺産
○精神、感性
○その他の内部要素、外部要素

完全性（インテグリティ）

自然遺産及び文化遺産とそれらの特質のすべてが無傷で包含され
ている度合を測るためのものさしである。従って、完全性の条件
を調べるためには、当該資産が以下の条件をどの程度満たしてい
るかを評価する必要がある。
a)「顕著な普遍的価値」が発揮されるのに必要な要素
　（構成資産）がすべて含まれているか。
b) 当該物件の重要性を示す特徴を不足なく代表するために適切
　な大きさが確保されているか。
c) 開発及び管理放棄による負の影響を受けていないか。

他の類似物件との比較

当該物件を、国内外の類似の世界遺産、その他の物件と比較した
比較分析を行わなければならない。比較分析では、当該物件の国内
での重要性及び国際的な重要性について説明しなければならない。

Ⓒ 世界遺産総合研究所

世界遺産を取り巻く脅威や危険

地

砂漠化　酸性雨

雪害　地震

結露　ひょう災　津波

落雷　**自然災害**　噴火　地滑り

雷雨　竜巻　干ばつ　陥没

地球温暖化　洪水　風害　浸食

水害　塩害　高齢化　外来種の侵入

火災　過疎化　少子化　オゾン層の破壊

環　劣化　後継者難　**世界遺産**　不況　風化　境

戦争　内戦　技術者不足　財政難　過剰放牧　観光

武力紛争　修復材料不足　観光地化　森林伐採　都市開発

盗難　暴動　鉱山開発　地域開発

森林の減少・劣化　難民流入　盗掘　**人為災害**　道路建設　観光開発　海洋環境の劣化

狩猟　不法侵入　人口増加　ゴミ　堤防建設

密猟　し尿　農地拡大　ダム建設

生物多様性の減少　都市化　有害廃棄物の越境移動

球

世界遺産を取巻く脅威、危険、危機の因子

固有危険　風化、劣化など

自然災害　地震、津波、地滑り、火山の噴火など

人為災害　タバコの不始末等による火災、無秩序な開発行為など

地球環境問題　地球温暖化、砂漠化、酸性雨、海洋環境の劣化など

社会環境の変化　過疎化、高齢化、後継者難、観光地化など

世界遺産を取巻く脅威、危険、危機の状況

確認危険　遺産が特定の確認された差し迫った危険に直面している状況

潜在危険　遺産固有の特徴に有害な影響を与えかねない脅威に直面している状況

図表で見るユネスコ世界遺産

確認危険と潜在危険

危険種別＼遺産種別	文化遺産	自然遺産
確認危険 Ascertained Danger	● 材質の重大な損壊 ● 構造、或は、装飾的な特徴 ● 建築、或は、都市計画の統一性 ● 歴史的な真正性 ● 文化的な定義	● 病気、密猟、密漁 ● 大規模開発、産業開発採掘、汚染、森林伐採 ● 境界や上流地域への人間の侵入
潜在危険 Potential Danger	● 遺産の法的地位 ● 保護政策 ● 地域開発計画 ● 都市開発計画 ● 武力紛争 ● 地質、気象、その他の環境的要因	● 指定地域の法的な保護状況 ● 再移転計画、或は開発事業 ● 武力紛争 ● 保護管理計画

図表で見るユネスコ世界遺産

危機にさらされている世界遺産

	物 件 名	国 名	危機遺産登録年	登録された主な理由
1	●エルサレム旧市街と城壁	ヨルダン推薦物件	1982年	民族紛争
2	●チャン・チャン遺跡地域	ペルー	1986年	風雨による侵食・崩壊
3	○ニンバ山厳正自然保護区	ギニア/コートジボワール	1992年	鉄鉱山開発、難民流入
4	○アイルとテネレの自然保護区	ニジェール	1992年	武力紛争、内戦
5	○ヴィルンガ国立公園	コンゴ民主共和国	1994年	地域紛争、密猟
6	○ガランバ国立公園	コンゴ民主共和国	1996年	密猟、内戦、森林破壊
7	○オカピ野生動物保護区	コンゴ民主共和国	1997年	武力紛争、森林伐採、密猟
8	○カフジ・ビエガ国立公園	コンゴ民主共和国	1997年	密猟、難民流入、農地開拓
9	○マノボ・グンダ・サンフローリス国立公園	中央アフリカ	1997年	密猟
10	●ザビドの歴史都市	イエメン	2000年	都市化、劣化
11	●アブ・ミナ	エジプト	2001年	土地改良による溢水
12	●ジャムのミナレットと考古学遺跡	アフガニスタン	2002年	戦乱による損傷、浸水
13	●バーミヤン盆地の文化的景観と考古学遺跡	アフガニスタン	2003年	崩壊、劣化、盗窟など
14	●アッシュル（カルア・シルカ）	イラク	2003年	ダム建設、保護管理措置欠如
15	●コロとその港	ヴェネズエラ	2005年	豪雨による損壊
16	●コソヴォの中世の記念物群	セルビア	2006年	政治的不安定による管理と保存の困難
17	○ニオコロ・コバ国立公園	セネガル	2007年	密猟、ダム建設計画
18	●サーマッラの考古学都市	イラク	2007年	宗派対立
19	●カスビのブガンダ王族の墓	ウガンダ	2010年	2010年3月の火災による焼失
20	○アツィナナナの雨林群	マダガスカル	2010年	違法な伐採、キツネザルの狩猟の横行
21	○エバーグレーズ国立公園	アメリカ合衆国	2010年	水界生態系の劣化の継続、富栄養化
22	○スマトラの熱帯雨林遺産	インドネシア	2011年	密猟、違法伐採など
23	○リオ・プラターノ生物圏保護区	ホンジュラス	2011年	違法伐採、密漁、不法占拠、密猟など
24	●トゥンブクトゥー	マリ	2012年	武装勢力による破壊行為
25	●アスキアの墓	マリ	2012年	武装勢力による破壊行為
26	●パナマのカリブ海沿岸のポルトベロ・サン・ロレンソの要塞群	パナマ	2012年	風化や劣化、維持管理の欠如など
27	○イースト・レンネル	ソロモン諸島	2013年	森林の伐採
28	●古代都市ダマスカス	シリア	2013年	国内紛争の激化
29	●古代都市ボスラ	シリア	2013年	国内紛争の激化

登録（解除）年	登　録　物　件	解　除　物　件
2006年	★ドレスデンのエルベ渓谷 ★コソヴォの中世の記念物群	○ジュジ国立鳥類保護区 ○イシュケウル国立公園 ●ティパサ ●ハンピの建造物群 ●ケルン大聖堂
2007年	☆ガラパゴス諸島 ☆ニオコロ・コバ国立公園 ★サーマッラの考古学都市	○エバーグレーズ国立公園 ○リオ・プラターノ生物圏保護区 ●アボメイの王宮 ●カトマンズ渓谷
2009年	☆ベリーズ珊瑚礁保護区 ☆ロス・カティオス国立公園 ★ムツヘータの歴史的建造物群 　　＝ドレスデンのエルベ渓谷＝（登録抹消）	●シルヴァンシャーの宮殿と 　　乙女の塔がある城塞都市バクー
2010年	☆アツィナナナの雨林群 ☆エバーグレーズ国立公園 ★バグラチ大聖堂とゲラチ修道院 ★カスビのブガンダ王族の墓	○ガラパゴス諸島
2011年	☆スマトラの熱帯雨林遺産 ☆リオ・プラターノ生物圏保護区	○マナス野生動物保護区
2012年	★トンブクトゥー ★アスキアの墓 ★イエスの生誕地：ベツレヘムの聖誕教会と巡礼の道 ★リヴァプール－海商都市 ★パナマのカリブ海沿岸のポルトベロ-サン・ロレンソの要塞群	●ラホールの城塞とシャリマール 　　庭園 ●フィリピンのコルディリェラ 　　山脈の棚田群
2013年	☆イースト・レンネル ★古代都市ダマスカス　　★古代都市ボスラ ★パルミラの遺跡　　★古代都市アレッポ ★シュバリエ城とサラ・ディーン城塞 ★シリア北部の古村群	●バムとその文化的景観
2014年	☆セルース動物保護区 ★ポトシ市街 ★オリーブとワインの地パレスチナ－ 　　エルサレム南部のバティール村の文化的景観	＝キルワ・キシワーニと＝ ＝ソンゴ・ムナラの遺跡＝
2015年	★ハトラ★サナアの旧市街★シバーム城塞都市	○ロス・カティオス国立公園
2016年	★ジェンネの旧市街 ★キレーネの考古学遺跡 ★レプティス・マグナの考古学遺跡 ★サブラタの考古学遺跡 ★タドラート・アカクスの岩絵 ★ガダミースの旧市街 ★シャフリサーブスの歴史地区 ★ナン・マドール：東ミクロネシアの祭祀センター	●ムツヘータの歴史的建造物群
2017年	★ウィーンの歴史地区 ★ヘブロン/アル・ハリルの旧市街	○シミエン国立公園 ○コモエ国立公園 ●ゲラチ修道院
2018年	★ツルカナ湖の国立公園群	○ベリーズ珊瑚礁保護区
2019年	☆カリフォルニア湾の諸島と保護地域	●イエスの生誕地：ベツレヘム 　　の聖誕教会と巡礼の道 ●ハンバーストーンと 　　サンタ・ラウラの硝石工場群
2021年	☆ロシア・モンタナの鉱山景観	○サロンガ国立公園 ●リヴァプール－海商都市 　　→2021年登録抹消
2023年 （臨時）	☆トリポリのラシッド・カラミ国際見本市 ☆オデーサの歴史地区 ☆古代サバ王国のランドマーク、マーリブ	
2023年	☆キエフの聖ソフィア大聖堂と修道院群等 ☆リヴィフの歴史地区	●カスビのブガンダ王族の墓

☆危機遺産に登録された文化遺産　　　　　●危機遺産から解除された文化遺産
★危機遺産に登録された自然遺産　　　　　○危機遺産から解除された自然遺産

図表で見るユネスコ世界遺産

図表で見るユネスコ世界遺産

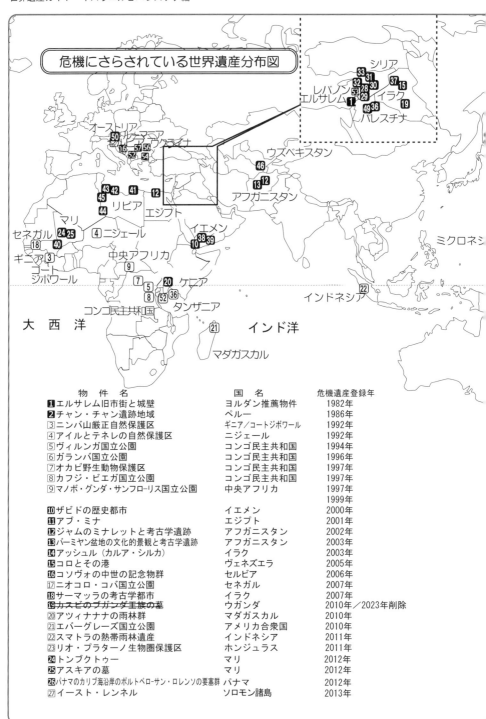

危機にさらされている世界遺産分布図

物件名	国名	危機遺産登録年
1 エルサレム旧市街と城壁	ヨルダン推薦物件	1982年
2 チャン・チャン遺跡地域	ペルー	1986年
3 ニンバ山厳正自然保護区	ギニア/コートジボワール	1992年
4 アイルとテネレの自然保護区	ニジェール	1992年
5 ヴィルンガ国立公園	コンゴ民主共和国	1994年
6 ガランバ国立公園	コンゴ民主共和国	1996年
7 オカピ野生動物保護区	コンゴ民主共和国	1997年
8 カフジ・ビエガ国立公園	コンゴ民主共和国	1997年
9 マノボ・グンダ・サンフローリス国立公園	中央アフリカ	1997年
		1999年
10 ザビドの歴史都市	イエメン	2000年
11 アブ・ミナ	エジプト	2001年
12 ジャムのミナレットと考古学遺跡	アフガニスタン	2002年
13 バーミヤン盆地の文化的景観と考古学遺跡	アフガニスタン	2003年
14 アッシュル（カルア・シルカ）	イラク	2003年
15 コロとその港	ヴェネズエラ	2005年
16 コソヴォの中世の記念物群	セルビア	2006年
17 ニオコロ・コバ国立公園	セネガル	2007年
18 サーマッラの考古学都市	イラク	2007年
19 カスビのブガンダ王族の墓	ウガンダ	2010年／2023年削除
20 アツィナナナの雨林群	マダガスカル	2010年
21 エバーグレーズ国立公園	アメリカ合衆国	2010年
22 スマトラの熱帯雨林遺産	インドネシア	2011年
23 リオ・プラターノ生物圏保護区	ホンジュラス	2011年
24 トンブクトゥー	マリ	2012年
25 アスキアの墓	マリ	2012年
26 パナマのカリブ海沿岸のポルトベロ・サン・ロレンソの要塞群	パナマ	2012年
27 イースト・レンネル	ソロモン諸島	2013年

物 件 名	国 名	危機遺産登録年
28 古代都市ダマスカス	シリア	2013年
29 古代都市ボスラ	シリア	2013年
30 パルミラの遺跡	シリア	2013年
31 古代都市アレッポ	シリア	2013年
32 シュバリエ城とサラ・ディーン城塞	シリア	2013年
33 シリア北部の古村群	シリア	2013年
34 セルース動物保護区	タンザニア	2014年
35 ポトシ市街	ボリヴィア	2014年
36 オリーブとワインの地パレスチナ-エルサレム南部のバティール村の文化的景観	パレスチナ	2014年
37 ハトラ	イラク	2015年
38 サナアの旧市街	イエメン	2015年
39 シバーム城塞都市	イエメン	2015年
40 ジェンネの旧市街	マリ	2016年
41 キレーネの考古学遺跡	リビア	2016年
42 レプティス・マグナの考古学遺跡	リビア	2016年
43 サブラタの考古学遺跡	リビア	2016年
44 タドラート・アカクスの岩絵	リビア	2016年
45 ガダミースの旧市街	リビア	2016年
46 シャフリサーブスの歴史地区	ウズベキスタン	2016年
47 ナン・マドール：東ミクロネシアの祭祀センター	ミクロネシア	2016年
48 ウィーンの歴史地区	オーストリア	2017年
49 ヘブロン/アル・ハリルの旧市街	パレスチナ	2017年
50 ツルカナ湖の国立公園群	ケニア	2018年
51 カリフォルニア湾の諸島と保護地域	メキシコ	2019年
52 ロシア・モンタナの鉱山景観	ルーマニア	2021年
53 トリポリのラシッド・カラミ国際見本市	レバノン	2023年
54 オデーサの歴史地区	ウクライナ	2023年
55 古代サバ王国のランドマーク、マーリブ	イエメン	2023年
56 キエフの聖ソフィア大聖堂と修道院群等	ウクライナ	2023年
57 リヴィフの歴史地区	ウクライナ	2023年

□ 自然遺産
■ 文化遺産
2023年10月現在

危機遺産の登録、解除、抹消の推移表

登録(解除)年	登録物件	解除物件
1979年	★コトルの自然・文化-歴史地域	
1982年	★エルサレム旧市街と城壁	
1984年	☆ンゴロンゴロ保全地域 ☆ジュジ国立鳥類保護区 ☆ガランバ国立公園	
1985年	★アボメイの王宮	
1986年	★チャン・チャン遺跡地域	
1988年	★バフラ城塞	○ジュジ国立鳥類保護区
1989年	★ヴィエリチカ塩坑	○ンゴロンゴロ保全地域
1990年	★トンブクトゥー	
1991年	☆プリトヴィチェ湖群国立公園 ★ドブロブニクの旧市街	
1992年	☆ニンバ山厳正自然保護区 ☆アイルとテネレの自然保護区 ☆マナス野生動物保護区 ☆サンガイ国立公園 ☆スレバルナ自然保護区 ★アンコール	○ガランバ国立公園
1993年	☆エバーグレーズ国立公園	
1994年	☆ヴィルンガ国立公園	
1995年	☆イエロー・ストーン	
1996年	☆リオ・プラターノ生物圏保護区 ☆イシュケウル国立公園 ☆ガランバ国立公園 ☆シミエン国立公園	
1997年	☆オカピ野生動物保護区 ☆カフジ・ビエガ国立公園 ☆マノボ・グンダ・サンフローリス国立公園 ★ブトリント	○プリトヴィチェ湖群国立公園
1998年		●ドブロブニクの旧市街 ●ヴィエリチカ塩坑
1999年	☆ルウェンゾリ山地国立公園 ☆サロンガ国立公園 ☆イグアス国立公園 ★ハンピの建造物群	
2000年	☆ジュジ国立鳥類保護区 ★ザビドの歴史都市 ★ラホールの城塞とシャリマール庭園	
2001年	★フィリピンのコルディリェラ山脈の棚田 ★アブ・ミナ	○イグアス国立公園
2002年	★ジャムのミナレットと考古学遺跡 ★ティパサ	
2003年	☆コモエ国立公園 ★バーミヤン盆地の文化的景観と考古学遺跡 ★アッシュル(カルア・シルカ) ★シルヴァンシャーの宮殿と乙女の塔がある城塞都市バクー ★カトマンズ渓谷	○スレバルナ自然保護区 ○イエロー・ストーン ●コトルの自然・文化-歴史地域
2004年	★バムの文化的景観 ★ケルン大聖堂 ★キルワ・キシワーニとソンゴ・ムナラの遺跡	○ルウェンゾリ山地国立公園 ●アンコール ●バフラ城塞
2005年	★ハンバーストーンとサンタ・ラウラの硝石工場 ★コロとその港	○サンガイ国立公園 ●トンブクトゥー ●ブトリント

登録（解除）年	登 録 物 件	解 除 物 件
2006年	★ドレスデンのエルベ渓谷 ★コソヴォの中世の記念物群	○ジュジ国立鳥類保護区 ○イシュケウル国立公園 ●ティパサ ●ハンピの建造物群 ●ケルン大聖堂
2007年	☆ガラパゴス諸島 ☆ニオコロ・コバ国立公園 ★サーマッラの考古学都市	○エバーグレーズ国立公園 ○リオ・プラターノ生物圏保護区 ●アボメイの王宮 ●カトマンズ渓谷
2009年	☆ベリーズ珊瑚礁保護区 ☆ロス・カティオス国立公園 ★ムツヘータの歴史的建造物群 ＝ドレスデンのエルベ渓谷＝（登録抹消）	●シルヴァンシャーの宮殿と 　乙女の塔がある城塞都市バクー
2010年	☆アツィナナナの雨林群 ☆エバーグレーズ国立公園 ★バグラチ大聖堂とゲラチ修道院 ★カスビのブガンダ王族の墓	○ガラパゴス諸島
2011年	☆スマトラの熱帯雨林遺産 ☆リオ・プラターノ生物圏保護区	○マナス野生動物保護区
2012年	★トンブクトゥー ★アスキアの墓 ★イエスの生誕地：ベツレヘムの聖誕教会と巡礼の道 ★リヴァプール―海商都市 ★パナマのカリブ海沿岸のポルトベロ―サン・ロレンソの要塞群	●ラホールの城塞とシャリマール 　庭園 ●フィリピンのコルディリェラ 　山脈の棚田群
2013年	☆イースト・レンネル ★古代都市ダマスカス　　★古代都市ボスラ ★パルミラの遺跡　　　　★古代都市アレッポ ★シュバリエ城とサラ・ディーン城塞 ★シリア北部の古村群	●バムとその文化的景観
2014年	☆セルース動物保護区 ★ポトシ市街 ★オリーブとワインの地パレスチナ－ 　エルサレム南部のバティール村の文化的景観	●キルワ・キシワーニと 　ソンゴ・ムナラの遺跡
2015年	★ハトラ★サナアの旧市街★シバーム城塞都市	○ロス・カティオス国立公園
2016年	★ジェンネの旧市街　★キレーネの考古学遺跡 ★レプティス・マグナの考古学遺跡 ★サブラタの考古学遺跡 ★タドラート・アカクスの岩絵 ★ガダミースの旧市街 ★シャフリサーブスの歴史地区 ★ナン・マドール：東ミクロネシアの祭祀センター	●ムツヘータの歴史的建造物群
2017年	★ウィーンの歴史地区 ★ヘブロン/アル・ハリルの旧市街	○シミエン国立公園 ○コモエ国立公園 ●ゲラチ修道院
2018年	★ツルカナ湖の国立公園群	○ベリーズ珊瑚礁保護区
2019年	☆カリフォルニア湾の諸島と保護地域	●イエスの生誕地：ベツレヘム 　の聖誕教会と巡礼の道 ●ハンバーストーンと 　サンタ・ラウラの硝石工場群
2021年	☆ロシア・モンタナの鉱山景観	○サロンガ国立公園 ●リヴァプール―海商都市 　→2021年登録抹消
2023年 （臨時）	☆トリポリのラシッド・カラミ国際見本市 ☆オデーサの歴史地区 ☆古代サバ王国のランドマーク、マーリブ	
2023年	☆キエフの聖ソフィア大聖堂と修道院群等 ☆リヴィフの歴史地区	●カスビのブガンダ王族の墓

☆危機遺産に登録された文化遺産　　　　●危機遺産から解除された文化遺産
★危機遺産に登録された自然遺産　　　　○危機遺産から解除された自然遺産

図表で見るユネスコ世界遺産

第45回世界遺産委員会リヤド（サウジアラビア）拡大会議　新登録物件等＜仮訳＞

〈新登録物件〉（36か国　42物件　自然 9　複合 0　文化 33）
　　　　　　（アフリカ　5　アラブ諸国　3　アジア・太平洋　12
　　　　　　ヨーロッパ・北アメリカ　19　ラテンアメリカ　3）

＜自然遺産＞　9件

エチオピア
　バレ山国立公園（Bale Mountains National Park）　（登録基準(vii)(x)）
コンゴ
　オザラ・コクア森林山塊（Forest Massif of Odzala-Kokoua）　（登録基準(ix)(x)）
ルワンダ
　ニュングェ国立公園（Nyungwe National Park）　（登録基準(x)）

サウジアラビア
　ウルク・バニ・マアリッド（ 'Uruq Bani Ma' arid）　（登録基準(vii)(ix)）

カザフスタン、トルクメニスタン、ウズベキスタン
　寒冬のトゥラン砂漠群（Cold Winter Deserts of Turan）　（登録基準(ix)(x)）
タジキスタン
　ティグロヴァヤ・バルカ自然保護区のトゥガイ森林群（Tugay forests of the Tigrovaya Balka Nature Reserve）
　（登録基準(ix)）

イタリア
　アペニン山脈北部の蒸発岩のカルスト・洞窟群（Evaporitic Karst and Caves of Northern Apennines）
　（登録基準(viii)）
フランス
　プレー山およびマルティニーク北部の尖峰群の火山・森林群
　　（Volcanoes and Forests of Mount Pelée and the Pitons of Northern Martinique）
　（登録基準(viii)(x)）
カナダ
　アンティコスティ（Anticosti）　（登録基準(viii)）

＜文化遺産＞　33件

エチオピア
　ゲデオの文化的景観（The Gedeo Cultural Landscape）　（登録基準(iii)(v)）
ルワンダ
　虐殺の記憶の地：ニャマタ、ムランビ、ビセセロ、ギソッチ
　　（Memorial sites of the Genocide: Nyamata, Murambi, Gisozi and Bisesero）
　（登録基準(vi)）

チュニジア
　ジェルバ：島嶼域での入植様式を伝える文化的景観
　　（Djerba: Testimony to a settlement pattern in an island territory）
　（登録基準(v)）
パレスチナ
　古代エリコ / テル・エッ・スルタン（Ancient Jericho/Tell es-Sultan）
　（登録基準(iii)(iv)）

○自然遺産　●文化遺産　◎複合遺産　New　初出国　　　　　　シンクタンクせとうち総合研究機構

イラン
　ペルシアのキャラバンサライ（The Persian Caravanserai）
　（登録基準(ii)(iii)）
タジキスタン、トルクメニスタン、ウズベキスタン
　シルクロード：ザラフシャン・カラクム回廊（Silk Roads: Zarafshan-Karakum Corridor）
　（登録基準(ii)(iii)(v)）
インド
　サンティニケタン（Santiniketan）
　（登録基準(iv)(vi)）
インド
　ホイサラ朝の宗教建築物群（Sacred Ensembles of the Hoysalas）　（登録基準(i)(ii)(iv)）
タイ
　古代都市シーテープ
　　（The Ancient Town of Si Thep and its Associated Dvaravati Monuments）
　（登録基準(ii)(iii)）
インドネシア
　ジョグジャカルタの宇宙論的軸線とその歴史的建造物群
　　（The Cosmological Axis of Yogyakarta and its Historic Landmarks）
　（登録基準(ii)(iii)）
カンボジア
　コー・ケー：古代リンガプラ（チョック・ガルギャー）の考古遺跡
　（Koh Ker: Archaeological Site of Ancient Lingapura or Chok Gargyar）
　（登録基準(ii)(iv)）
モンゴル
　および青銅器時代の関連遺跡群（Deer Stone Monuments and Related Bronze Age Sites）
　（登録基準(i)(iii)）
中国
　普洱の景邁山古茶林の文化的景観
　（Cultural Landscape of Old Tea Forests of the Jingmai Mountain in Pu'er）
　（登録基準(iii)(v)）
韓国
　伽耶古墳群（Gaya Tumuli）
　（登録基準(iii)）

トルコ
　木柱と木製上部構造を備えたアナトリアの中世モスク群　（登録基準(iii)）
フランス
　ニームのメゾン・カレ（The Maison Carrée of Nîmes）　（登録基準(iv)）
トルコ
　木柱と木製上部構造を備えたアナトリアの中世モスク群
　（Wooden Hypostyle Mosques of Medieval Anatolia）　（登録基準(ii)(iv)）
ギリシャ
　ザゴリの文化的景観（Zagori Cultural Landscape）　（登録基準(v)）
スペイン
　タラヨ期メノルカ - キュクロプス式建造物の島のオデッセイ
　（Prehistoric Sites of Talayotic Menorca）　（登録基準(iii)(iv)）
ドイツ
　エアフルトの中世ユダヤ人関連遺産（Jewish-Medieval Heritage of Erfurt）
　（登録基準(iv)）
デンマーク
　ヴァイキング時代の円形要塞群（Viking-Age Ring Fortresses）　（登録基準(iii)(iv)）

新登録物件及び登録範囲の拡大物件等

オランダ
王立エイセ・エイシンガ・プラネタリウム (Eisinga Planetarium in Franeker)
（登録基準(iv)）

ベルギー、フランス
第一次世界大戦（西部戦線）の追悼と記憶の場所
(Funerary and memory sites of the First World War (Western Front)
（登録基準(iii)(iv)(vi)）

チェコ
ジャテツとザーツホップの景観 (Žatec and the Landscape of Saaz Hops)
（登録基準(iii)(iv)(v)）

リトアニア
モダニズム建築都市カウナス : 楽天主義の建築、1919年-1939年
(Modernist Kaunas: Architecture of Optimism, 1919-1939) （登録基準(iv)）

ラトヴィア
クールラントのクルディーガ/ゴールディンゲン (Old town of Kuldīga)
（登録基準(v)）

アゼルバイジャン
キナルグ人の文化的景観と移牧の道
(Cultural Landscape of Khinalig People and "Köç Yolu" Transhumance Route)
（登録基準(iii)(v)）

ロシア連邦
カザン連邦大学天文台 (Astronomical Observatories of Kazan Federal University)
（登録基準(ii)(iv)）

カナダ
トロンデック・クロンダイク (Tr'ondëk-Klondike) （登録基準(iv)）

アメリカ合衆国
ホープウェルの儀礼的土構造物群 (Hopewell Ceremonial Earthworks)
（登録基準(i)(iii)）

スリナム
ヨーデンサヴァネの考古遺跡 : ヨーデンサヴァネの入植地とカシポラクレークの共同墓地
(Jodensavanne Archaeological Site: Jodensavanne Settlement and Cassipora Creek Cemetery)
（登録基準(iii)）

グアテマラ
タカリク・アバフ国立考古公園 (National Archaeological Park Tak'alik Ab'aj)
（登録基準(ii)(iii)）

アルゼンチン
ESMA「記憶の場所」博物館 ‐ かつての拘禁、拷問、絶滅の秘密センター
(ESMA Museum and Site of Memory - Former Clandestine Center of Detention, Torture and Extermination)
（登録基準(vi)）

〈登録範囲の拡大〉 （7か国 5物件 自然 3 文化 2）

マダガスカル
アンドレファナの乾燥林 (Andrefana Dry Forests)
自然遺産 （登録基準(vii)(ix)(x)）

ベニン、トーゴ
バタマリバ人の土地クタマク (Koutammakou, the Land of the Batammariba)
文化遺産 （登録基準(v)(vi)）

アゼルバイジャン、イラン
ヒルカニアの森林群* (Hyrcanian Forests)
自然遺産 （登録基準(ix)）

○自然遺産 ●文化遺産 ◎複合遺産 New 初出国

新登録物件及び登録範囲の拡大物件等

ヴェトナム
　ハロン湾・カットバー群島 (Ha Long Bay – Cat Ba Archipelago)
　　自然遺産（登録基準(vii)(viii)）

ポルトガル
　ギマランイスの歴史地区とコウルス地区 (Historic Centre of Guimarães and Couros Zone)
　　文化遺産（登録基準(ii)(iii)(iv)）

〈危機遺産リストからの解除〉（1か国　1物件　文化 1）

ウガンダ
　カスビのブガンダ王族の墓 (Tombs of Buganda Kings at Kasubi)
　　文化遺産（登録基準（i）（iii）（iv）（vi））　2001年
　　★【危機遺産登録】2010年　★【危機遺産解除】2023年
　　理由：火災で焼失したことが原因で危機遺産となったが、伝統的な技術と適正な文化財を
　　用いた再建が評価され、解除となった。

〈危機遺産リストへの登録〉（1か国　2物件　文化 2）

ウクライナ
　キーウの聖ソフィア大聖堂と修道院群、キエフ・ペチェルスカヤ大修道院
　(Kyiv:Saint-Sophia Cathedral and Related Monastic Buildings, Kiev-Pechersk Lavra)
　　文化遺産（登録基準（i）（ii）（iii）（iv））　1990年
　　★【危機遺産登録】2023年
　　理由：ロシアの軍事侵攻で破壊される脅威に直面。

ウクライナ
　リヴィフの歴史地区 (L'viv-the Ensemble of the Historic Centre)
　　文化遺産（登録基準（ii）（v））　1998年／2008年
　　★【危機遺産登録】2023年
　　理由：ロシアの軍事侵攻で破壊される脅威に直面。

〈登録遺産名の変更〉（3か国　3物件　自然2　● 文化1）

マダガスカル
　　　　　　　アンドレフアナ乾燥林群 (Andrefana Dry Forests)
　　　　　　　　← ツィンギー・ド・ベマラハ厳正自然保護区
　　　　　　　　　(Tsingy de Bemaraha Strict Nature Reserve)
ヴェトナム
　　　　　　　ハ・ロン湾とカット・バ諸島 (Ha Long Bay – Cat Ba Archipelago)
　　　　　　　　← ハ・ロン湾 (Ha Long Bay)
ポルトガル
　　　　　　　ギマランイスの歴史地区とコウルス地区
　　　　　　　(Historic Centre of Guimarães and Couros Zone)
　　　　　　　　← ギマランイスの歴史地区 (Historic Centre of Guimarães)

新登録物件及び登録範囲の拡大物件等

イスラエルの概況

首都エルサレム

イスラエル国

State of Israel

正式名称 イスラエル国（State of Israel）
国名の意味 「神と闘う人」を意味する。
国旗 6角の星は「ダビデの星」といわれ、ユダヤ人の伝統的なシンボル。上下にある青い帯は、ユダヤ教の高僧のタリート（祈祷用肩掛け）を表している。
国歌 『ハティクヴァ』（ヘブライ語: 希望という意味）

国連加盟　　　　　　1949年
ユネスコ加盟　　　　 －　年
世界遺産条約締約　　1999年

イスラエル国の概況

面積 2.2万平方キロメートル（日本の四国程度）
人口 約950万人（2022年5月　イスラエル中央統計局）
首都 エルサレム
民族 ユダヤ人（約74%）、アラブ人（約21%）、その他（約5%）（2022年5月）
言語 ヘブライ語（公用語）、アラビア語（特別な地位を有する）
宗教 ユダヤ教（約74%）、イスラム教（約18%）、キリスト教（約2%）、
　　　ドルーズ（約1.6%）（2020年　イスラエル中央統計局）
略史 1947年国連総会はパレスチナをアラブ国家とユダヤ国家に分割する決議を採択。
イスラエルは48年独立を宣言。1948年、1956年、1967年、1973年と周辺アラブ諸国と4度にわたり戦争。その後、1979年にエジプトと、94年にヨルダンと平和条約を締結。2020年には、UAE、バーレーン、スーダン、モロッコと国交正常化に合意。パレスチナ解放機構（PLO）とは、1993年9月、相互承認を行い暫定自治原則宣言（オスロ合意）に署名。その後、暫定合意に従い、西岸・ガザではパレスチナ暫定自治政府による自治が実施されている。

政治体制・内政

政体 共和制
元首 イツハク・ヘルツォグ大統領（Mr. Isaac Herzog）
議会 一院制（120名）（全国1区の完全比例代表選挙制度）
政府 首相　ビンヤミン・ネタニヤフ（Mr. Benjamin Netanyafu）
内政

(1) 1948年の独立以来、労働党を中心とする左派政権が約30年間続いたが、その後、リクード党を中心とする右派政権、左派の労働党政権、および両者による大連立の政権が交代し、2005年11月に中道新党「カディマ」が結成されるまでの間、労働党とリクード党の左右二大政党による勢力拮抗時代が続いた。

(2) 2006年1月にシャロン首相が脳卒中に倒れ突然政界引退。同年3月の総選挙ではオルメルト新党首率いる「カディマ」が第一党となり、5月に労働党等との間で左派・中道の連立政権を樹立。

(3) オルメルト政権による2008年12月末からのイスラエル軍のガザ進攻後に実施された2009年2月の総選挙の結果、同年3月に「イスラエル・ベイテイヌ」等の右派・極右政党、宗教政党及び中道左派の労働党が参加する右派リクード党主導の第2次ネタニヤフ政権（第1次は1996〜99年）が誕生し、その後はネタニヤフ首相率いるリクード党を中心とする連立政権が継続。

(4) 2021年3月の総選挙の結果、同年6月にネタニヤフ長期政権からの変革を旗印に、ヤミナ党（宗教的右派政党）のベネット党首を首班とし、宗教・右派から世俗・左派まで幅広い政党で構成される連立政権（変革内閣）が成立するも、約1年で議会は解散。2022年11月の総選挙の結果、12月にリクード党を中心とする第3次ネタニヤフ政権が成立した。

外交・国防
外交基本方針
(1) イスラエルの外交方針は自国の安全確保が最優先課題。米国を中心とする欧米諸国との協力を重視してきたが、近年はその国際的地位の向上に伴い外交の多角化に努め、アジア、中南米、アフリカとの関係強化にも努めている。

(2) アラブ諸国のうち隣接するエジプト、ヨルダンと和平を結んだことにより、周辺国との戦争の可能性が低下した一方、イランの脅威が相対的に浮上し、現在、イランを安全保障上の最大の脅威とみなして警戒を強めている。

(3) 中東和平問題については、1991年のマドリード会議以降、オスロ合意締結、ヨルダンとの和平条約締結等の進展はあったが、2000年9月のパレスチナとの衝突（第2次インティファーダ）発生以来、和平プロセスは停滞。
07年11月のアナポリス中東和平国際会議においてオルメルト首相（当時）とアッバース・パレスチナ自治政府大統領との間で7年振りの和平交渉再開が合意されたが、進展は見られなかった。10年9月、約2年ぶりに実施されたイスラエル・パレスチナ間の直接交渉もすぐに頓挫。13年7月、米国の仲介により直接交渉が再開されたが、これも14年4月に中断となった。

(4) パレスチナとの直接交渉再開の目処が立たない中、2020年8月以降、米国の仲介によりアラブ首長国連邦（UAE）、バーレーン、スーダン及びモロッコと国交正常化に合意するなど、アラブ諸国との関係改善に努めている。

軍事力（IISSミリタリーバランス2022）
(1) 兵役：男子32か月、女子24か月（更に予備役あり）

(2) 兵力：
正規軍　16.95万人（陸軍12.6万人、海軍9,500人、空軍3.4万人）
予備役　46.5万人（陸軍40万人、海軍1万人、空軍5.5万人）

占領地及び入植地
イスラエルは、1967年（第三次中東戦争）に占領した東エルサレム及びゴラン高原をその後併合しているが、右併合は日本を含め国際社会の大多数には承認されていない。また、ヨルダン川西岸はイスラエルの占領下にあり、これら地域におけるイスラエルの入植活動は国際法違反とされている。日本は、イスラエルと将来のパレスチナ国家の境界は、1967年の境界を基礎とする形で、交渉を通じて画定されるべきとの考えを支持している。
（中東和平についての日本の立場）

経済
主要産業
鉱工業（ダイヤモンド研磨加工、ハイテク関連、食品加工、繊維、ゴム、プラスチック、薬品、機械、電子機器、カリ、臭素等）、農業（柑橘類、野菜、穀物、生花、酪農品等）

GDP　約4,816億ドル（2021年　世銀）

一人当たりGDP　約51,430ドル（2021年　世銀）

経済成長率　8.1％（2021年　イスラエル中央統計局）

物価上昇率　1.5％（2021年　世銀）

失業率　3.5％（2022年5月　イスラエル中央統計局）

総貿易額
(1) 輸出　約490億ドル（2020年　JETRO）

(2) 輸入　約702億ドル（2020年　JETRO）

貿易品目

(1) 輸出　機械類、化学製品、ダイヤモンド、医療精密機器、農産品等

(2) 輸入　機械類、化学製品、輸送機器、燃料等

貿易相手国

(1) 輸出　欧州、北米、アジアの順に多い（2020年　JETRO）

(2) 輸入　欧州、アジア、北米の順に多い（2020年　JETRO）

通貨　新シェケル（NIS）

為替レート（イスラエル中央銀行）　100円＝約2.55新シェケル（2022年8月現在）

経済概況

(1) 2000年9月に発生した第2次インティファーダや米国経済の減速の影響により経済は停滞していたが、03年以降は自国通貨の対ドル・レート低位安定等を背景とした競争力の向上やイラク戦争終結によるビジネス環境の改善等により、ハイテク・情報通信分野を中心に輸出が好調となり、07年には建国以来初の4年連続の5%超の成長を記録。その後、米国の金融不安等に端を発する世界経済減速の影響等により、経済成長率は一時的に落ち込んだが、09年下半期にはいち早く成長路線に復帰。2020年にはコロナ禍で成長率がマイナスに転じるも、2021年には8.2%のプラス成長に戻り、堅調な経済状況がうかがえる。

(2) 高度な技術力を背景としたハイテク・情報通信分野及びダイヤモンド産業を中心に経済成長を続けており、基本的には輸出を志向する産業構造となっている。これまでは、死海周辺で産出される臭素等を除きエネルギー・鉱物資源には恵まれていなかったが、近年、排他的経済水域内において、大規模な天然ガス田の開発が進められ、2013年には一部で生産が開始されている。

二国間関係

政治関係

1952年	日本のイスラエル承認
1954年	在トルコ大使の在イスラエル公使兼任
1955年	日本の公使館開設（テルアビブ）
1963年	双方の公使館の大使館昇格

経済関係

(1) 主要品目（2020年　JETRO）

（ア）対日輸入

輸送用機器（44.1%）、一般機械（27.9%）、電気機器（7.0%）、化学製品（6.5%）

（イ）対日輸出

電気機器（36.7%）、化学製品（15.8%）、科学光学機器（13.2%）、一般機械（13.1%）、原料別製品（10.4%）

(2) 貿易額（2019年　JETRO）

（ア）対日輸入　約15.1億米ドル　　（イ）対日輸出　約12.3億米ドル

(3) 進出日系企業数は近年大幅な増加傾向にあり（2012年の26社から、2019年には92社に）、2017年には日・イスラエル投資協定が署名・発効、2022年にはあり得べき日・イスラエル経済連携協定（EPA）に関する共同研究の立ち上げが発表されるなど、両国間の経済関係は近年飛躍的に発展している。日本政府としては、官民合同の日本イスラエル・イノベーション・ネットワーク（JIIN）を通じた活動や在イスラエル大使館で両国企業を支援する日本イノベーション・センターの開設などを通じて、両国間の経済関係の発展を歓迎し、積極的に後押している。

なお、イスラエルの占領地や入植地は、今後の当事者間の交渉次第でその法的地位は変更

され得る状況にある。

また、東エルサレムを含むヨルダン川西岸におけるイスラエルの入植活動は国際法違反とされているため、それら地域に関わる経済活動（例えば、経済・金融活動、役務の提供、不動産の購入等）を行う場合は、金融上、風評上及び法的なリスクがあり得る他、そうした活動への関与が、人権侵害とされる可能性があり得ることについて、十分留意する必要がある。

文化関係

（1）人物交流・学術交流

文部省（当時）外国人国費留学生制度によるイスラエル人の留学開始。87年総務庁事業によりイスラエル青年招聘及び日本青年派遣。また89年以来、中近東青年招聘計画により毎年5～8名のイスラエル青年を日本へ研修招待。92～93年日本文化祭実施。93年知的交流開始。98年研究交流開始。

（2）受賞歴

カツィール元大統領が日本国際賞受賞（1985年）。

日本国際漫画賞最優秀賞受賞を、第9回（2015年度）にアサフ・ハヌカ氏・トーメル・ハヌカ氏（作家）・ボアズ・ラヴィー氏（原作者）の作品「The Divine（神聖なるもの）」が、第13回（2019年度）にガイ・レンマン氏（作家）・ニムロッド・フリードマン氏（原作者）による作品「Piece of Mind（ココロノカケラ）」が、各々受賞。

小平（84年）、早石（85年）、伊藤（87年）、槇（88年）、西塚（95年）、小柴（2000年）、野依（01年）、佐藤（03年）、山中（11年）、藤田（18年）各教授がウルフ賞受賞。

（3）芸術交流

イスラエル交響楽団来日公演（2000年、03年11月、07年3月、10年11月、14年10月）、大相撲佐渡ヶ嶽部屋イスラエル巡業（06年6月）他、両国芸術家の交流事業多数。12年には日・イスラエル外交関係樹立60周年を記念し、両国共同制作「トロイアの女たち」（蜷川幸雄氏演出）ほか実施。また、2014年10月「エルサレム日本週間」、2015年12月「イスラエル・カルチャー・ウィークエンド・イン・キョウト」が実施。

文化庁文化交流使が派遣（平成22年度：安田泰敏（囲碁棋士）、野田哲也（版画家）、平成23年度：薄田東仙（書道家・刻字家）、平成25年度：森山未來（俳優）、平成28年度：山田うん（振付家、ダンサー））。

国営航空会社　エルアル航空

空港　ベン・グリオン国際空港

在留邦人数　1,156名（2021年10月現在、東エルサレム除く　外務省海外在留邦人数調査統計）

在日当該国人数　589名（2021年12月現在　法務省在留外国人統計）

在イスラエル日本国大使館（IsraelEmbassy of Japan）

Museum Tower 19th & 20th Floor, 4, Berkowits Street, 6423806 Tel-Aviv, Israel

電話：（972-3）695-7292

＜参考＞　世界遺産のキーワード

※https://whc.unesco.org/

- 世界遺産　World Heritage
- 世界遺産条約　World Heritage Convention
- 締約国　State Party
- 世界遺産委員会　World Heritage Committee
- 幹事国会合　Bureau Meeting
- 議長国　Chairperson
- 副議長国　Vice-Chairperson
- 書記(国)(ラポルチュール)　Rapporteur
- 事務局　Secretariat
- 世界遺産センター　World Heritage Center
- 助言機関　Advisory Bodies
- 国際記念物遺跡会議　International Council on Monuments and Sites（ICOMOS）
- 国際自然保護連合　International Union for Conservation of Nature and Natural Resources（IUCN）
- 文化財の保存及び修復の研究のための国際センター
  (International Centre for the Study of the Preservation and Restoration of Cultural Property　ICCROM)
- 作業指針　Operational Guidelines
- 世界遺産リスト　World Heritage List
- 核心地帯（コア・ゾーン）　Core Zone
- 緩衝地帯（バッファー・ゾーン）　Buffer Zone
- 顕著な普遍的価値　Outstanding Universal Value（略称 OUV）
- 真正性　Authenticity
- 完全性　Integrity
- 他の類似物件との比較　Comparison with other similar properties
- 登録基準　Criteria for inscription
- 自然遺産　Natural Heritage
- 文化遺産　Cultural Heritage
- 複合遺産　Natural and Cultural Heritage
- 危機遺産　World Heritage in Danger
- 危機遺産リスト　World Heritage List in Danger
- 登録申請書類の書式　Nomination forms
- 多国間の登録申請　Multi-national nomination
- 世界遺産基金　World Heritage Fund
- 国際援助　International Assistance
- 定期報告　Periodic reporting
- 非政府組織、機関、専門家　NGO, institutions and experts
- 文化の多様性　Cultural Diversity
- 啓発　Raising awareness
- 能力形成　Capacity building
- 地域社会　Community
- 持続可能な発展　Sustainable Development

イスラエルの世界遺産

聖書ゆかりの遺跡の丘-メギド、ハツォール、ベール・シェバ
（Biblical Tels - Megiddo, Hazor, Beer Sheba）
文化遺産（登録基準（ii）（iii）（iv）（vi）） 2005年

イスラエル　　State of Israel
首都　エルサレム
世界遺産の数　9　世界遺産条約締約年　1999年　世界遺産委員会委員国　2005～2009年

【登録年別】

❶マサダ（Masada）
　文化遺産（登録基準(iii)(iv)(vi)）　　2001年

❷アクルの旧市街
　（Old City of Acre）
　文化遺産（登録基準(ii)(iii)(v)）　　2001年

❸テル・アヴィヴのホワイト・シティ－近代運動
　（White City of Tel-Aviv -the Modern Movement）
　文化遺産（登録基準(ii)(iv)）　　2003年

❹聖書ゆかりの遺跡の丘－メギド、ハツォール、ベール・シェバ
　（Biblical Tels - Megiddo, Hazor, Beer Sheba）
　文化遺産（登録基準(ii)(iii)(iv)(vi)）　　2005年

❺香料の道 － ネゲヴの砂漠都市群
　（Incense Route - Desert Cities in the Negev）
　文化遺産（登録基準(iii)(v)）　　2005年

❻ハイファと西ガリラヤのバハイ教の聖地
　（Bahá'i Holy Places in Haifa and the Western Galilee）
　文化遺産（登録基準(iii)(vi)）　　2008年

❼カルメル山の人類進化の遺跡群：ナハル・メアロット洞窟とワディ・エル・ムガラ洞窟群
　（Sites of Human Evolution at Mount Carmel : The Nahal Me'arot/Wadi el-Mughara Caves）
　文化遺産（登録基準(iii)(v)）　　2012年

❽ユダヤ低地にあるマレシャとベトグヴリンの洞窟群：洞窟の大地の小宇宙
　（Caves of Maresha and Bet-Guvrin in the Judean Lowlands as a Microcosm of the Land of the Caves）
　文化遺産（登録基準(v)）　　2014年

❾ベイト・シェアリムのネクロポリス、ユダヤ人の再興を示す象徴
　（Necropolis of Bet She'arim: A Landmark of　Jewish Renewal）
　文化遺産（登録基準(ii)(iii)）　　2015年

イスラエルの世界遺産

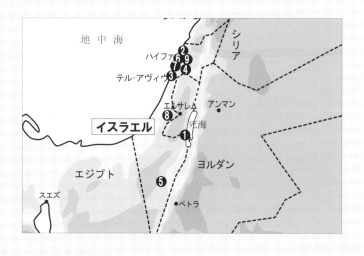

世界遺産暫定リスト記載物件

①ダンの三連アーチ門とヨルダンの源泉
（Triple-arch Gate at Dan & Sources of the Jordan）　2000年
②ガリラヤの初期シナゴーグ（Early Synagogues in the Galilee）　2000年
③イエス・キリストと使徒たちのガリラヤ巡礼路
（The Galilee Journeys of Jesus & the Apostles）　2000年
④ガリラヤ湖とその古代遺跡群（Sea of Galilee & its Ancient Sites）　2000年
⑤キルバト・アル・ミニヤ（Horvat Minnim）　2000年
⑥アルベル（アルベル、ネベ・シュエブ、ヒッティムの角）
（Arbel（arbel, nebe shueb, horns of hittim））　2000年
⑦デガニアとナハラル（Degania & Nahalal）　2000年
⑧ベト・シェアン（Bet She'an）　2000年
⑨カエサリア（Caesarea）　2000年
⑩ラムレのホワイト・モスク（White Mosque in Ramle）　2000年
⑪エルサレム（Jerusalem）　2000年
⑫マクテシム地方（Makhteshim Country）　2001年
⑬カルコム山（Mount Karkom）　2000年
⑭ティムナ（Timna）　2000年
⑮十字軍城塞（The Crusader Fortresses）　2000年
⑯大地溝帯－渡り鳥ルート－フラ渓谷
（The Great Rift Valley - migratory routes - The Hula）　2004年
⑰リフタ（メイ・ナフトア）－伝統的な山村
（Liftah (Mey Naftoah) – Traditional mountain village）　2015年
⑱エイン・カレム、村とその文化的景観（Ein Karem, a village and its cultural landscape）　2015年

マ サ ダ

英語名　　　　**Masada**

遺産種別　　　文化遺産

登録基準　　(iii) 現存する、または、消滅した文化的伝統、または、文明の、唯一の、または、
　　　　　　　　　　少なくとも稀な証拠となるもの。
　　　　　　　(iv) 人類の歴史上重要な時代を例証する、ある形式の造造物、建築物群、技術の
　　　　　　　　　　集積、または、景観の顕著な例。　　　　。
　　　　　　　(vi) 顕著な普遍的な意義を有する出来事、現存する伝統、思想、信仰、または、
　　　　　　　　　　芸術的、文学的作品と、直接に、または、明白に関連するもの。

登録年月　　　2001年12月（第25回世界遺産委員会ヘルシンキ（フィンランド）会議）

登録遺産の面積　276ha　　**バッファー・ゾーン**　28,965ha

登録遺産の概要　マサダは、エン・ゲディの南約25km、死海西岸の絶壁上にある台地で、一帯は
国立公園に指定されている。東側の死海からの高さは400m、西側の麓からの高さは100m、台地
の頂上は東西300m、南北600mの菱形の自然の要害。マサダという名前は、アラム語のハ・メサド
（要塞）に由来すると言われ、マサダの歴史は主としてヨセフスから知られ、紀元前40年にヘロ
デの一族が800人の部下と共に立て籠ったのが最初で、ヘロデは有事の際の宮殿として城塞化し
た。ヘロデの死後は、ローマ帝国の守備隊が来たが、66年から73年までは、エレアザルを指導
者とするゼロテの反徒が占拠した。しかし、フラヴィウス・シルヴァ指揮のローマ軍が進攻して
ここを包囲し、籠城軍は全滅した。台地の周囲にはローマ帝国の陣営の遺跡が点在する。マサ
ダは、抑圧と自由の狭間での人間の闘いの歴史を主張する意志力とヒロイズムのシンボルであ
る。

分類　　　　　遺跡

物件所在地　　タマル地域（Tamar Region）

参考URL　　　ユネスコ世界遺産センター　https://whc.unesco.org/en/list/1040

マサダ

イスラエルの世界遺産

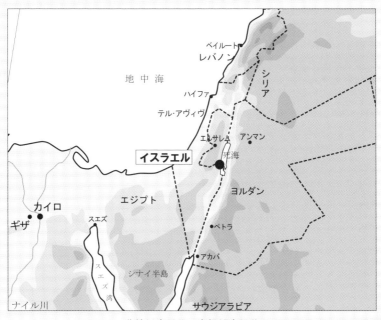

北緯31度18分　東経35度21分

アクルの旧市街

英語名	Old City of Acre

遺産種別　　文化遺産

登録基準　（ii）ある期間を通じて、または、ある文化圏において、建築、技術、記念碑的芸術、町並み計画、景観デザインの発展に関し、人類の価値の重要な交流を示すもの。
　　　　　　（iii）現存する、または、消滅した文化的伝統、または、文明の、唯一の、または、少なくとも稀な証拠となるもの。
　　　　　　（v）特に、回復困難な変化の影響下で損傷されやすい状態にある場合における、ある文化（または、複数の文化）を代表する伝統的集落、または、土地利用の顕著な例。

登録年月　　2001年12月（第25回世界遺産委員会ヘルシンキ（フィンランド）会議）

登録遺産の面積　63.3ha　　**バッファー・ゾーン**　22.99ha

登録遺産の概要　アクルの旧市街は、ハイファから北へ23km、地中海に面したハイファ湾の北端の小さな半島の突端にある、イスラム文化の都市デザインに特徴がある町。アクルは、古くは、紀元前1700年くらいのフェニキア時代に貿易港として繁栄した歴史的な要塞港湾都市である。現在の都市は、18～19世紀のオスマン・トルコの時代からの曲がりくねった細くて狭い街路と立派な集会場、モスク、隊商宿、浴場などの公共建物や家屋などがある城壁で囲まれた典型的なイスラムの要塞都市の特徴をもっている。またアクルは、中世に聖地エルサレムとその周辺地域へ進出したヨハネ騎士団を中心とした十字軍の終焉の地としても知られている。アクルは、1104年から1291年までの約200年間、支配されていた。十字軍の遺跡は、地下に埋没しているものの、当時の都市の配置や構造がわかる騎士集会所、教会、宿泊設備、大規模な城壁などの遺跡が手付かずのまま残されており、最近になって公開され始めた。アクルは、プトレマイオス、サン・ジャン・ダークルなど幾度か都市の名前が変わっている。

分類　　　　建造物群

物件所在地　西ガリラヤ

参考URL　　ユネスコ世界遺産センター　https://whc.unesco.org/en/list/1042

イスラエルの世界遺産

アクルの旧市街

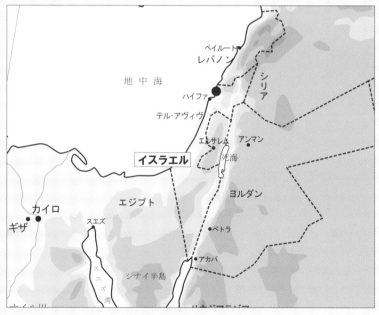

北緯32度55分　東経35度4分

イスラエルの世界遺産

テル・アヴィブのホワイト・シティー近代運動

英語名	**White City of Tel-Aviv - the Modern Movement**

遺産種別　　文化遺産

登録基準　　（ii）ある期間を通じて、または、ある文化圏において、建築、技術、記念碑的
　　　　　　　　　芸術、町並み計画、景観デザインの発展に関し、人類の価値の重要な交流
　　　　　　　　　を示すもの。
　　　　　　　（iv）人類の歴史上重要な時代を例証する、ある形式の建造物、建築物群、技術の
　　　　　　　　　集積、または、景観の顕著な例。　。

登録年月　　2003年7月（第27回世界遺産委員会パリ（フランス）会議）

登録遺産の面積　140.4ha　　**バッファー・ゾーン**　197ha

登録遺産の概要　テル・アヴィブのホワイト・シティは、イスラエルの西側地中海に面するテル・アヴィヴにある。テル・アヴィヴのホワイト・シティは、国際的な現代建築のユニークな歴史を留めるもので、バウハウスの影響を受けている。テル・アヴィヴは、昔は商業港で賑わった東洋の都市であったが、1908年にユダヤ人開拓者の小グループが、新都市を建設した。テル・アヴィヴの都市建設にあたっては、ドイツで誕生し、ナチスから迫害を受け新天地を求めていたバウハウスの手法が1930年代に移入され、国際的なビルが次々に建てられ、この地で見事に花開いた。建物の色が白いことから、後には、ホワイト・シティと愛称されるようになった。

分類　　　　建造物群、20世紀の新都市を代表する都市地域

物件所在地　テル・アヴィヴ・ヤッファ市ダン都市圏

参考URL　　ユネスコ世界遺産センター　**https://whc.unesco.org/en/list/1096**

テル・アヴィヴのホワイト・シティ

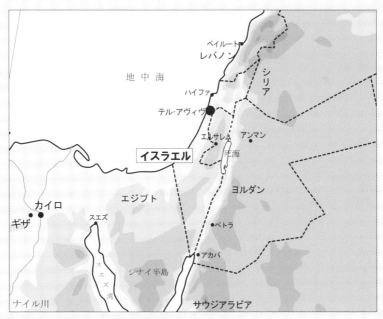

北緯32度4分　東経34度46分

イスラエルの世界遺産

聖書ゆかりの遺跡の丘－メギド、ハツォール、ベール・シェバ

英語名	**Biblical Tels - Megiddo, Hazor, Beer Sheba**

遺産種別　　文化遺産

登録基準　（ii）ある期間を通じて、または、ある文化圏において、建築、技術、記念碑的
　　　　　　　　芸術、町並み計画、景観デザインの発展に関し、人類の価値の重要な交流
　　　　　　　　を示すもの。
　　　　　（iii）現存する、または、消滅した文化的伝統、または、文明の、唯一の、または、
　　　　　　　　少なくとも稀な証拠となるもの。
　　　　　（iv）人類の歴史上重要な時代を例証する、ある形式の建造物、建築物群、技術の
　　　　　　　　集積、または、景観の顕著な例。　。
　　　　　（vi）顕著な普遍的な意義を有する出来事、現存する伝統、思想、信仰、または、
　　　　　　　　芸術的、文学的作品と、直接に、または、明白に関連するもの。

登録年月　　2005年7月（第29回世界遺産委員会ダーバン（南アフリカ）会議）

登録遺産の面積　96.04ha　　**バッファー・ゾーン**　604.01ha

登録遺産の概要　聖書ゆかりの遺跡の丘-メギド、ハツォール、ベール・シェバは、イスラエル
の北部、中部、南部にかけて分布する都市遺跡群。テルとは、ヘブライ語やアラビア語で、遺
跡の丘を意味し、地中海東部、特に、レバノン、シリア、イスラエル、トルコ東部の地形の特
色である。イスラエルにある200以上のテルのうち、テル・メギド、テル・ハツォール、テル・ベ
ール・シェバは、聖書ゆかりのテル(遺跡の丘)の代表的なものである。テル・メギドは、イスラ
エル北部のエズレル地方にあり、旧約聖書の時代から幾度となく戦場になってきた名高い古戦
場で、新約聖書のヨハネ黙示録のハルマゲドン(世界最終戦争 ヘブライ語で「メギドの丘」の意
味)の地としても知られている。テル・ハツォールは、新約聖書に度々登場するガリラヤ湖の北
14kmほどにあり、紀元前3200年の青銅器時代からソロモンの統治期、北イスラエル王国時代の
遺構まで広く発掘されており、「イスラエル考古学の揺り籠」とも呼ばれている。テル・ベール・
シェバは、イスラエル南部、ネゲブ砂漠の北にあり、今から3000年前に、古代人がワジ(涸れ
川)の水を農業用水や生活用水に利用していた水道が残されている。

分類　　遺跡群（シリアル・ノミネーション）

物件所在地　メギド地方
　　　　　　　上ガリラヤ地方
　　　　　　　ベール・シェバ地方

構成資産　□テル・メギド（Tel Megiddo）
　　　　　　□テル・ハツォール（Tel Hazor）
　　　　　　□テル・ベール・シェバ（Tel Beer Sheba）

参考URL　ユネスコ世界遺産センター　https://whc.unesco.org/en/list/1108

聖書ゆかりの遺跡の丘

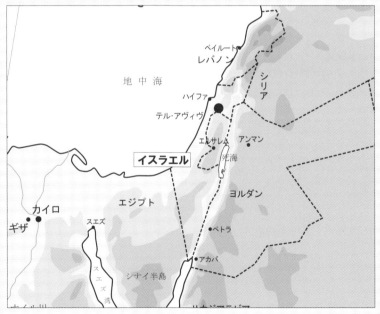

北緯32度35分　東経35度10分

イスラエルの世界遺産

香料の道―ネゲヴの砂漠都市群

英語名	Incense Route - Desert Cities in the Negev

遺産種別　　文化遺産

登録基準　　（iii）現存する、または、消滅した文化的伝統、または、文明の、唯一の、または、
　　　　　　　　　少なくとも稀な証拠となるもの。
　　　　　　　（v）特に、回復困難な変化の影響下で損傷されやすい状態にある場合における、
　　　　　　　　　ある文化（または、複数の文化）を代表する伝統的集落、または、土地利用
　　　　　　　　　の顕著な例。

登録年月　　2005年7月（第29回世界遺産委員会ダーバン（南アフリカ）会議）

登録遺産の面積　6,655ha　　**バッファー・ゾーン**　63,868ha

登録遺産の概要　香料の道－ネゲヴの砂漠都市群は、イスラエル南部のネゲヴ地方、かつてナバ
テア王国が栄えたハルサ、マムシット、アヴダット、それに、シヴタの砂漠都市群である。香
料の道は、ネゲヴ砂漠の要塞や農業景観が広がるこれらの4つの町を経由し地中海へと繋がる香
料や香辛料の道である。それらは、紀元前3世紀から紀元後2世紀まで繁栄した南アラビアから
地中海への乳香フランキンセスと没薬ミルラの交易で莫大な利益をもたらしたことを反映する
ものである。高度な灌漑システム、都市建設、要塞、それにキャラバン・サライの遺跡と共に
暑さが厳しいネゲヴ砂漠における道と砂漠都市群は、交易や農業の為に定住したことを示す証
しである。

分類　　　　遺跡群、文化的景観

物件所在地　ハルサ、マムシット、アヴダット、シヴタ

構成資産　　□香料の道（含むアヴダット）
　　　　　　　□ハルサ（Haluza）
　　　　　　　□マムシット（Mamshit）
　　　　　　　□シヴタ（Shivta）

参考URL　　ユネスコ世界遺産センター　https://whc.unesco.org/en/list/ 1107rev

香料の道

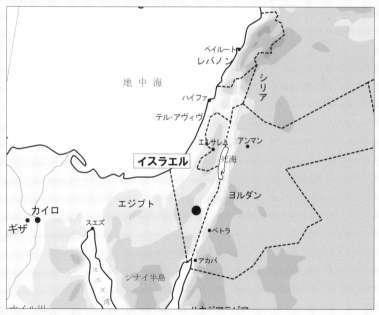

北緯32度35分　東経35度10分

イスラエルの世界遺産

ハイファと西ガリラヤのババイ教の聖地

英語名　　　Bahá' i Holy Places in Haifa and the Western Galilee

遺産種別　　　文化遺産

登録基準　　　iii）現存する、または、消滅した文化的伝統、または、文明の、唯一の、または、少なくとも稀な証拠となるもの。
　　　　　　　　（vi）顕著な普遍的な意義を有する出来事、現存する伝統、思想、信仰、または、芸術的、文学的作品と、直接に、または、明白に関連するもの。

登録年月　　　2008年7月（第32回世界遺産委員会ケベック（カナダ）会議）

登録遺産の面積　　62.58ha　　　**バッファー・ゾーン**　　254.7ha

登録遺産の概要　ハイファと西ガリラヤのバハイ教の聖地は、イスラエルの北部、ハイファと西ガリラヤにあるバハイ教の関連遺産である。世界遺産の登録範囲は、核心地域が62.58ha、緩衝地域が254.7haである。ハイファと西ガリラヤのバハイ教の聖地は、バハイ教の伝統、深い信仰を物語るものである。バハイ教は、1844年にイランのシラーズで、教祖のバーブ（セイイェド・アリー・モハンマド 1819〜1850年）、その後継者のバハーウッラー(1817〜1892年)が創始した独自の聖典、法、暦、祝祭日を持つ一神教で、故国を追われた彼は、1868年にアクレ(アッコ)に送られ、1892年同地で没した。ハイファと西ガリラヤのバハイ教の聖地の構成資産は、ハイファとアクレを中心とする11の場所の26の建造物群、モニュメント、それに遺跡群からなる。ハイファのバーブ霊廟、アクレのバハーウッラー神殿、それに、バハイ教関連の住居群、庭園群、墓地、それに、管理、アーカイブス、研究センターの為の新古典主義様式の近代的なビル群など多様な関連遺産群を含んでいる。

分類　　　　　遺跡群（シリアル・ノミネーション）、文化的景観

物件所在地　　ハイファ地区、北部地区

構成資産　　　カルメル山の北斜面＜バーブの聖廟＞、ハイファのバハイ墓地、
　　　　　　　　　アブドゥッラー・パーシャーの家、アップードの家、マズライの住居
　　　　　　　　　など11の場所の26の建造物群、モニュメント、それに遺跡群からなる。

参考URL　　　ユネスコ世界遺産センター　https://whc.unesco.org/en/list/1220rev

バハイ教の聖地

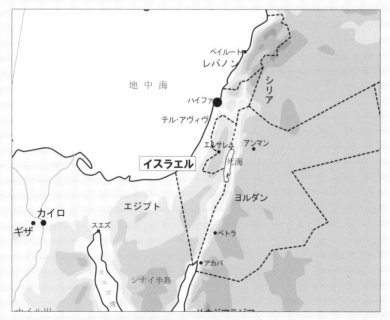

北緯32度49分　東経34度58分

カルメル山の人類進化の遺跡群：ナハル・メアロット洞窟とワディ・エル・ムガラ洞窟

英語名	Sites of Human Evolution at Mount Carmel : The Nahal Me'arot/Wadi el-Mughara Caves
遺産種別	文化遺産

登録基準 （ⅲ）現存する、または、消滅した文化的伝統、または、文明の、唯一の、または、少なくとも稀な証拠となるもの。

（ⅴ）特に、回復困難な変化の影響下で損傷されやすい状態にある場合における、ある文化（または、複数の文化）を代表する伝統的集落、または、土地利用の顕著な例。

登録年月 2012年7月（第36回世界遺産委員会サンクトペテルブルク（ロシア連邦）会議）

登録遺産の面積 54ha **バッファー・ゾーン** 370ha

登録遺産の概要 カルメル山の人類進化の遺跡群：ナハル・メアロット洞窟とワディ・エル・ムガラ洞窟は、イスラエルの北部、カルメル会発祥の地であるカルメル山の西斜面に、南北39km、面積が54haにわたって広がる丘陵地にあり、人類進化の50万年の歴史の証しともいえる埋葬品、初期の石造の建築、狩猟採集生活から農耕・牧畜生活への変遷がわかる文化的な堆積物が残っている。この洞窟遺跡は、ムスティエ文化に属するネアンデルタール人と初期解剖学的現代人（EAMH)が存在していたことを示している。90年間にもわたる考古学研究が一連の文化を明らかにし、南西アジアの初期人類の生活の貴重な記録を残している。

分類 遺跡

物件所在地 北部地区ホフハカーメル地域評議会

参考URL ユネスコ世界遺産センター https://whc.unesco.org/en/list/1393

カルメル山の人類進化の遺跡群

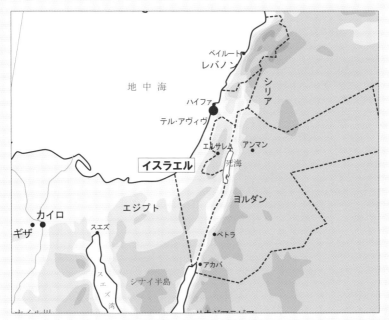

北緯32度40分　東経34度58分

イスラエルの世界遺産

ユダヤ低地にあるマレシャとベトグヴリンの洞窟群：洞窟の大地の小宇宙

英語名　　　Caves of Maresha and Bet-Guvrin in the Judean Lowlands as a Microcosm of the Land of the Caves

遺産種別　　　文化遺産

登録基準　　　（ⅴ）　特に、回復困難な変化の影響下で損傷されやすい状態にある場合における、ある文化（または、複数の文化）を代表する伝統的集落、または、土地利用の顕著な例。

登録年月　　　2014年6月　（第38回世界遺産委員会ドーハ（カタール）会議）

登録遺産の面積　259ha　　　**バッファー・ゾーン**　－　　ha

登録遺産の概要　ユダヤ低地にあるマレシャとベトグヴリンの洞窟群:洞窟の大地の小宇宙は、イスラエルの南部地区にある3500もの部屋もある地下都市の考古学遺跡群である。世界遺産の登録面積は、259ha、バッファー・ゾーンは設定されていない。一帯は、メソポタミアとエジプトへの交易路が交差する地域であり、ベトグヴリン・マレシャ国立公園に指定されている。マレシャは、ユダヤの最も重要な都市の一つで、十字軍の時代に建設された。一方、ベトグヴリンは、ローマ時代にエルスエリオスポリス（自由都市という意味）として知られた重要な都市であった。これらの遺跡からは、大きなユダヤ人の墓地、ローマ・ビザンチン時代の円形演技場、ビザンチン教会、公共浴場などの考古学的な出土品が発掘されている。

分類　　　　遺跡

物件所在地　　南部地区ヨアフ地域、ラキシュ地域

参考URL　　　ユネスコ世界遺産センター　　https://whc.unesco.org/en/list/1370

ユダヤ低地

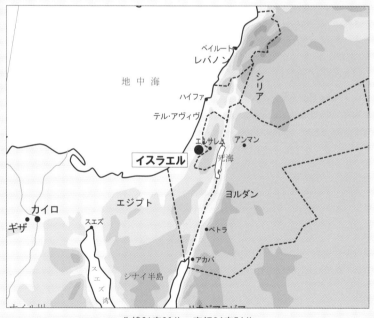

北緯31度36分　東経34度54分

イスラエルの世界遺産

ベイト・シェアリムのネクロポリス、ユダヤ人の再興を示す象徴

英語名	Necropolis of Bet She'arim: A Landmark of Jewish Renewal

遺産種別　　　文化遺産

登録基準　　（ii）ある期間を通じて、または、ある文化圏において、建築、技術、記念碑的
　　　　　　　　芸術、町並み計画、景観デザインの発展に関し、人類の価値の重要な交流
　　　　　　　　を示すもの。
　　　　　　（iii）現存する、または、消滅した文化的伝統、または、文明の、唯一の、または、
　　　　　　　　少なくとも稀な証拠となるもの。

登録年月　　　2015年7月（第39回世界遺産委員会ボン（ドイツ）会議）

登録遺産の面積　12,2ha　　**バッファー・ゾーン**　64.3ha

登録遺産の概要　ベイト・シェアリムのネクロポリス、ユダヤ人の再興を示す象徴は、イスラエルの北部、低地ガリラヤの南山麓、ハイファの南東20kmのところにある紀元前2世紀以降に建設された、初期のユダヤ人の大規模な共同墓地である。地下の洞窟には、おびただしい数の石棺があり、ギリシア語、アラム語、ヘブライ語で書かれた絵画や彫刻が彫られているほか、シナゴーグ(ユダヤ教礼拝所)やミクベ(身清めの水槽)の跡も発見されている。2世紀にローマ帝国の支配に対して起きたユダヤ属州の反乱であるバル・コクバの乱(紀元132年～135年)に敗れた後のユダヤ人たちによるものであり、さまざまな文化的影響を含めて、2世紀から4世紀にかけての再興したユダヤ人たちの文化的伝統を示している。ベイト・シェアリムは、初期ユダヤ教の中心地として類まれな証拠であり、1936年に発見後、1996年に一般公開され、発掘は現在も続いている。国立公園として、イスラエル自然公園局によって管理されている。

分類　　　　　遺跡

物件所在地　　　北部地区
Emek Yizreal Regional Council
Qiryat Tiv'on Local Council

参考URL　　　ユネスコ世界遺産センター　https://whc.unesco.org/en/list/1471

イスラエルの世界遺産

ベイト・シェアリムのネクロポリス、ユダヤ人の再興を示す象徴

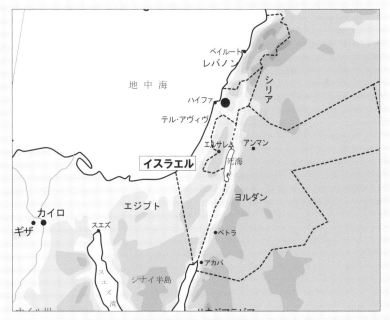

北緯32度42分　東経35度7分

エルサレムの旧市街と城壁

英語名　　Old City of Jerusalem and its Walls

遺産種別　　文化遺産

登録基準　（ⅱ）ある期間を通じて、または、ある文化圏において、建築、技術、記念碑的
　　　　　　　　　芸術、町並み計画、景観デザインの発展に関し、人類の価値の重要な交流
　　　　　　　　　を示すもの。
　　　　　（ⅲ）現存する、または、消滅した文化的伝統、または、文明の、唯一の、または、
　　　　　　　　　少なくとも稀な証拠となるもの。
　　　　　（ⅵ）顕著な普遍的な意義を有する出来事、現存する伝統、思想、信仰、または、
　　　　　　　　　芸術的、文学的作品と、直接に、または、明白に関連するもの。

登録年月　　1981年10月（第5回世界遺産委員会シドニー（オーストラリア）会議）
　　　　　★【危機遺産】　1982年（第6回世界遺産委員会パリ（フランス）会議）

登録遺産の面積　－　ha　　**バッファー・ゾーン**　－　ha

登録遺産の概要　エルサレムは、ヨルダン川に近い要害の地に造られた城郭都市。世界三大宗教であるユダヤ教、キリスト教、イスラム教の聖地として有名で、アラビア語の「アル・クドゥス」（聖なる都市）の名で知られている。1947年11月の国連総会で、エルサレムをイスラエル、ヨルダンのいずれにも属さない分離体として国連の信託統治下に置くというパレスチナ分割統治案、国連決議181号が採択され、旧市街を含むアラブ人居住区の東エルサレムと、ユダヤ人居住区の西エルサレムに分断された。東エルサレムの領有権は中東戦争などで紛糾、1980年7月、イスラエル議会は東西エルサレムを統一エルサレムと呼びイスラエルの首都とする法律を決議したが、国連総会はイスラエルによる東エルサレムの占領を非難、その決定の無効を決議している。一方、パレスチナ自治政府は東エルサレムを独立後の首都とみなしている。約1km四方の城壁に囲まれた約0.9km²の旧市街が世界遺産に登録されており、紀元前37年にユダヤ王となったヘロデ王により築かれ、その後、ローマ軍の侵略で破壊され、離散の民となったユダヤ人が祖国喪失を嘆き祈る様子から「嘆きの壁」と呼ばれる神殿の遺壁、327年にローマのコンスタンティヌス帝の命でつくられたキリスト教の「聖墳墓教会」、691年にウマイヤ朝第5代カリフのアブドゥル・マリクによって建てられた黄金色に輝くモスク、「岩のドーム」などがある。現存する旧市街の城壁は、オスマン帝国第10代皇帝のスレイマン1世が1538年に建造し、長さが約4.5km、高さが5～15m、厚さが3mで、43の見張り塔、11の門を含む。旧市街はムスリム地区、キリスト教徒地区、ユダヤ教徒地区、アルメニア人地区に大別されており、宗教、歴史、建築、芸術などの観点から、「顕著な普遍的価値」を有すとしてヨルダンの推薦物件として登録された。（イスラエルは1999年に世界遺産条約を締約しているがこの時点では未締約国であった。）世界遺産リストでは、どの国にも属さず単独で扱われている。また、民族紛争、無秩序な都市開発、観光圧力、維持管理不足などによる破壊の危険から1982年に「危機にさらされている世界遺産リスト」に登録された。「嘆きの壁」と「神殿の丘」のムグラビ門をつなぐ坂（Mughrabi asent）を撤去し、鉄の橋を架ける問題が新たな火種になっている。

分類　　　　モニュメント

物件所在地　エルサレム

参考URL　　ユネスコ世界遺産センター　　https://whc.unesco.org/en/list/148

エルサレムの旧市街と城壁

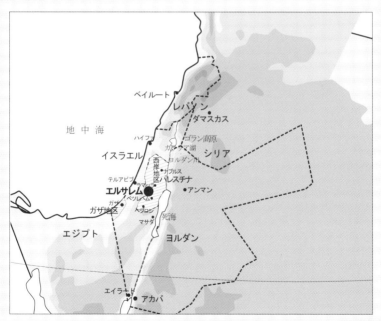

北緯31度46分　東経35度13分

イスラエルの世界の記憶

エルサレムのヤド・ヴァシェムの証言集、1954〜2004年
（Pages of Testimony Collection, Yad Vashem Jerusalem, 1954-2004）
2013年選定
＜所蔵機関＞ヤド・ヴァシェム-ロコースト殉教者英雄記念局（エルサレム）

イスラエル国 State of Israel　※ユネスコを**2018年12月31日**に脱退。

首都　エルサレム　※※日本を含め国際的には認められていない。
主要言語　ヘブライ語、アラビア語
「世界の記憶」の数　5　（世界遺産の数　9　世界無形文化遺産の数　0　）2024年1月現在

1⃞エルサレムのヤド・ヴァシェムの証言集、1954〜2004年
（Pages of Testimony Collection, Yad Vashem Jerusalem, 1954-2004）
2013年選定
＜所蔵機関＞ヤド・ヴァシェム－ロコースト殉教者英雄記念局（エルサレム）

2⃞ロスチャイルド文書（Rothschild Miscellany）
2013年選定
＜所蔵機関＞イスラエル国立博物館（エルサレム）

3⃞アレッポ写本（Aleppo Codex）
2015年選定
＜所蔵機関＞ベン・ツヴィ研究所（エルサレム）

4⃞アイザック・ニュートン卿＊の科学と数学の論文集　←アイザック・ニュートンの神学の論文集
（The Scientific and Mathematical Papers of Sir Isaac Newton）←（Isaac Newton's Theological Papers）
2015年選定／2017年選定＊（＊2017年、英国を追加）
＊1643〜1727年　英国の数学者、物理学者、天文学者
イスラエル／英国
＜所蔵機関＞イスラエル国立図書館（エルサレム）

5⃞イスラエルの民話アーカイヴス（Israel Folktale Archives）
2017年選定
＜所蔵機関＞ハイファ大学ヘブライ語・比較文学学部（ハイファ）

イスラエル国立博物館

イスラエルの世界の記憶

「世界の記憶」関連略語

AMIA	映像アーキビスト協会（Association of Moving Image Archivists）
AOF	フランス領西アフリカ（Afrique occidentale francaise）
ARSC	アメリカ録音収蔵協会（Association of Recorded Sound Collections）
ATD	あらゆる窮迫状態への支援（Aide a Toute detresse）
CCAAA	視聴覚アーカイヴ協会調整協議会（Coordinating Council of Audiovisual Archive Associations）
CITRA	国際公文書館円卓会議（Confereace International de la Table rounde des Archives）
C2C	カテゴリー2センター（Category 2 Centre）
COF	クリストファー・オキボ財団（Christopher Okigbo Foundation）
FIAF	国際フィルム・アーカイヴ連盟（International Federation of Film Archives）
FIAT/IFTA	国際テレビアーカイヴ機構（International Federation of Television Archives）
FID	国際ドキュメンテーション連盟（International Federation for Documentation）
FIDA	国際アーカイヴス開発基金（Fund for the International Development of Archives）
IAC	国際諮問委員会（International Advisory Committee）
IAML	国際音楽資料情報協会（International Association of Music Librarians）
IASA	国際音声・視聴覚アーカイヴ協会（International Association of Sound and Audiovisual Archives）
IAC	国際諮問委員会（International Advisory Committee）
ICA	国際公文書館会議（International Council on Archives）
ICAIC	キューバ映画芸術産業庁（Instituto Cubano de Artee Industria Cinematograficos）
ICCROM	文化財保存修復研究国際センター（International Centre for Conservation in Rome）
ICDH	国際記録遺産センター（International Center for Documentary Heritage）
ICLM	国際文学博物館会議（International Committee for Literary Museums）
ICRC	赤十字国際委員会（International Committee of the Red Cross）
ICOM	国際博物館会議（International Council of Museums）
IFLA	国際図書館連盟（International Federation of Library Associations and Institutions）
IGO	政府間組織（Intergovernmental Organization）
IIC	文化財保存国際研究所（International Institute for Conservation of Historic and Artistic Works）
ISO	国際標準化機構（International Organization for Standardization）
ITS	インターナショナル・トレーシング・サービス（International Tracing Service）
MOW	「世界の記憶」（Memory of the World）
MOWCAP	「世界の記憶」プログラム アジア・太平洋地域委員会 （Asia/Pacific Regional Committee for the Memory of the World Program）
MOWLAC	「世界の記憶」プログラム ラテンアメリカ・カリブ地域委員会 （Latin America/Caribbean Regional Committee for the Memory of the World Program）
NGO	非政府組織（Non-Government Organisation）
SEAPAVAA	東南アジア太平洋地域視聴覚アーカイヴ連合（Southeast Asia-Pacific Audiovisual Archive Association）
UNESCO	国連教育科学文化機関（UNESCO＝United Nations Educational, Scientific and Cultural Organization）
UNRWA	国連パレスチナ難民救済事業機関（The United Nations Relief and Works Agency）
WDL	世界電子図書館（World Digital Library）
WFD	世界ろう連盟（World Federation of the Deaf）

エルサレムのヤド・ヴァシェムの証言集、1954～2004年

準拠　メモリー・オブ・ザ・ワールド・プログラム（略称：MOW）　1992年

目的　人類の歴史的な文書や記録など、忘却してはならない貴重な記録遺産を登録し、最新のデジタル技術などで保存し、広く公開する。

選定遺産名　Pages of Testimony Collection, Yad Vashem Jerusalem, 1954-2004

世界の記憶への選定年月　2013年

選定遺産の概要　ホロコーストで6百万人のユダヤ人が殺害され、彼らの名前は数字に変換された。ほとんどの人は墓もなく、墓石もない。証言コレクションは、ホロコーストの犠牲者に対する大規模な集合的記念碑であり、彼らの名前と顔を取り戻すことを目指している。その規模と意図において、人類史上前例のないものであり、すべての犠牲者の名前とアイデンティティを忘却から守ることを目的としている。このコレクションは、貴重な個人的な手書きの証言から構成されており、世界で唯一のものであり、ルワンダやカンボジアなど他のジェノサイドの犠牲者を追悼するためにこのモデルを模倣しようとした後の試みと比較して独特である。

分類　文書類、写真

選定基準　○真正性（Authenticity）、複写、模写、偽造品ではない
　　　　　　○独自性と非代替性（Unique and Irreplaceable）
　　　　　　○年代、場所、人物、題材・テーマ、形式・様式
　　　　　　○希少性（Rarity）
　　　　　　○完全性（integrity）
　　　　　　○脅威（Threat）
　　　　　　○管理計画（Management Plan）

所蔵機関　ヤド・ヴァシェム-ホロコースト殉教者英雄記念局（エルサレム）

参考URL　https://www.unesco.org/en/memory-world/
　　　　　　　　pages-testimony-collection-yad-vashem-jerusalem-1954-2004
　　　　　　https://www.yadvashem.org/

ホロコース歴史博物館

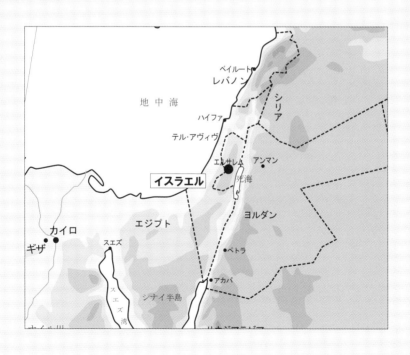

イスラエルの世界の記憶

ロスチャイルド文書

準拠　　　メモリー・オブ・ザ・ワールド・プログラム（略称：MOW）　1992年

目的　　　人類の歴史的な文書や記録など、忘却してはならない貴重な記録遺産を登録し、
最新のデジタル技術などで保存し、広く公開する。

選定遺産名　　**Rothschild Miscellany**

世界の記憶への選定年月　2013年

選定遺産の概要　「ロスチャイルド・ミセラニー」は、金と銀の葉、貴重な顔料で飾られた豪華
なミニチュア画が施されたユニークな手稿であり、イタリア・ルネサンス期のユダヤ人の宗教
的な習慣、日常生活、ファッションについての珍しい窓を提供している。15世紀のヘブライ語
手稿の絵画の創造的な頂点を表し、物質文化のほとんどが残っていない時代のユダヤの遺産の
比類のない例である。

分類　　　手稿

選定基準　　○真正性（Authenticity）、複写、模写、偽造品ではない
○独自性と非代替性（Unique and Irreplaceable）
○年代、場所、人物、題材・テーマ、形式・様式
○希少性（Rarity）
○完全性（integrity）
○脅威（Threat）
○管理計画（Management Plan）

所蔵機関　　イスラエル博物館（エルサレム）

参考URL　　**https://www.unesco.org/en/memory-world/rothschild-miscellany**

ロスチャイルド文書

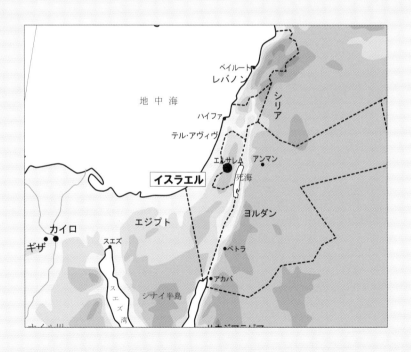

イスラエルの世界の記憶

アレッポ写本

準拠	メモリー・オブ・ザ・ワールド・プログラム（略称：MOW）1992年
目的	人類の歴史的な文書や記録など、忘却してはならない貴重な記録遺産を登録し、最新のデジタル技術などで保存し、広く公開する。

選定遺産名　**Aleppo Codex**

世界の記憶への選定年月　2015年

選定遺産の概要　「アレッポ・コデックス」として知られる手稿は、ほぼ完全なヘブライ語聖書（旧約聖書）であり、現存する最古のものの1つである。多くの学者によって、最も正確で権威あるヘブライ語聖書であり、過去と現在の聖書のテキスト、カンティレーション、発音のソースとして機能したと考えられている。この手稿は、10世紀（紀元920年頃）にアッバース朝カリフの支配下でティベリアス市で書かれ、マイモニデスによって正確性が認められた。レニングラード・コデックスとともに、ベン・アシェルのマソラ本文伝承を含んでいる。この手稿は、1947年の反ユダヤ主義暴動で中央シナゴーグが焼失するまで、約500年間アレッポの中央シナゴーグに保管されていた。その後の10年間のこの手稿の行方は不明でしたが、1958年にイスラエルで再発見され、その後も2枚の追加の葉が発見されている。現存する部分は、イスラエル博物館の書物館に収蔵されている。

分類	手稿
選定基準	○真正性（Authenticity）、複写、模写、偽造品ではない ○独自性と非代替性（Unique and Irreplaceable） ○年代、場所、人物、題材・テーマ、形式・様式 ○希少性（Rarity） ○完全性（integrity） ○脅威（Threat） ○管理計画（Management Plan）
所蔵機関	ベン・ツヴィ研究所（エルサレム）
参考URL	https://www.unesco.org/en/memory-world/aleppo-codex

アレッポ・コデックス

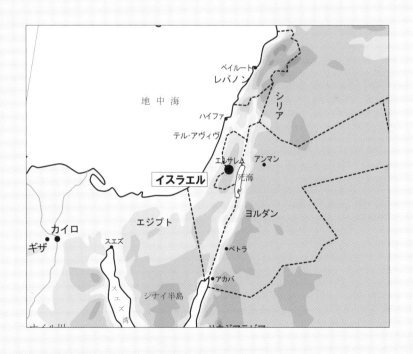

イスラエルの世界の記憶

アイザック・ニュートン卿の科学と数学の論文集

準拠 　　　メモリー・オブ・ザ・ワールド・プログラム（略称：MOW）　1992年

目的 　　　人類の歴史的な文書や記録など、忘却してはならない貴重な記録遺産を登録し、最新のデジタル技術などで保存し、広く公開する。

選定遺産名 　　**The Scientific and Mathematical Papers of Sir Isaac Newton**

世界の記憶への選定年月 　2015年／2017年

選定遺産の概要 　「サー・アイザック・ニュートンの科学的および数学的論文」は、世界現象に関する科学的および知的な業績の最も重要なアーカイブの1つであり、17世紀の「新しい科学」の発展において観察と実験的アプローチの重要性を示す重要な瞬間を印象づけた。これらの論文は、万有引力、微積分、光学に関するサー・アイザック・ニュートンの思考の発展を文書化し、孤独な天才のインスピレーションによって完全に形成された発見ではなく、苦労して行われた実験、計算、書簡、および改訂を通じて練り上げられたアイデアを明らかにする。また、個人的なノート、書簡、『自然哲学の数学的原理』の原稿および注釈付き版、重要な錬金術、神学、および行政の手稿の大規模で重要なコレクションも含まれている。

この記録は、2017年に世界記憶遺産登録を推奨されたイスラエルとイギリスによって提出され、2015年に世界記憶遺産登録された「サー・アイザック・ニュートンの論文」に追加されることが推奨された。

分類 　　　文書類

選定基準 　　○真正性（Authenticity）、複写、模写、偽造品ではない
　　　　　　　○独自性と非代替性（Unique and Irreplaceable）
　　　　　　　○年代、場所、人物、題材・テーマ、形式・様式
　　　　　　　○希少性（Rarity）
　　　　　　　○完全性（integrity）
　　　　　　　○脅威（Threat）
　　　　　　　○管理計画（Management Plan）

所蔵機関 　　イスラエル国立図書館（エルサレム）

参考URL 　　https://www.unesco.org/en/memory-world/
　　　　　　　scientific-and-mathematical-papers-sir-isaac-newton

サー・アイザック・ニュートンの科学的および数学的論文

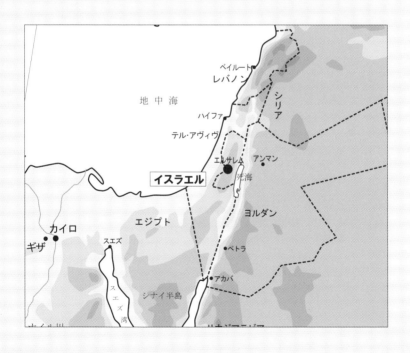

イスラエルの世界の記憶

イスラエルの民話アーカイヴス

準拠	メモリー・オブ・ザ・ワールド・プログラム（略称：MOW）　1992年

目的　人類の歴史的な文書や記録など、忘却してはならない貴重な記録遺産を登録し、最新のデジタル技術などで保存し、広く公開する。

選定遺産名　**Israel Folktale Archives**

世界の記憶への選定年月　2017年

選定遺産の概要　イスラエルの民話アーカイヴスは、創設者のドヴ・ノイ教授（1920～2013年）にちなんで名付けられた、ユダヤの口承伝承とイスラエルの民間物語に基づく、21,000以上の民話を収集した、70以上の民族グループから5,000人以上の語り手から収集された、1956年から1999年までの文書を含む、複数の言語で収集されたユニークで豊かなコレクションである。イスラエルの民話アーカイヴスは、ユダヤ人移民の習慣、信念、規範、価値観を含む、世界中からのユダヤ人移民の特徴を捉えており、彼らがディアスポラで過ごした数百年間に形成されたものであり、また、イスラエルに住む他の民族グループの民間物語、例えば、ベドウィン、キリスト教徒、ムスリム、ドルーズ派の民間物語も含まれており、多様な文化や民族の間でオープンな対話を促すことを目的としている。このコレクションは、エチオピアと旧ソ連からの大量の移民の後に完成し、その後、コレクションのデジタル化プロセスが始まり、物語のタイピング、スキャン、インデックス付け、アクセス可能にすることが含まれた。コレクションを国際的な資産に変えるために、アーカイブのウェブサイトも作成され、世界中の研究者や批評家がコレクションにアクセスできるようになった。

分類　Manuscripts

選定基準
　○真正性（Authenticity）、複写、模写、偽造品ではない
　○独自性と非代替性（Unique and Irreplaceable）
　○年代、場所、人物、題材・テーマ、形式・様式
　○希少性（Rarity）
　○完全性（integrity）
　○脅威（Threat）
　○管理計画（Management Plan）

所蔵機関　ハイファ大学ヘブライ語・比較文学学部（ハイファ）

参考URL　https://www.unesco.org/en/memory-world/israel-folktale-archives

イスラエルの民話アーカイヴス

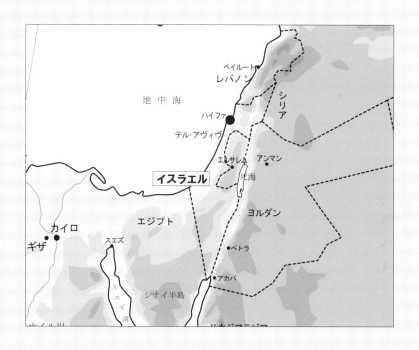

イスラエルの世界の記憶

パレスチナの概況

パレスチナ自治政府所在地　ラマッラ（西岸地区）

パレスチナ

Palestine

正式名称　パレスチナ暫定自治政府（Palestinian Interim Self-Government Authority, PA）
意味　紀元前12世紀頃この地に定着したフィリスティア人に由来する。
国旗　赤：勇気　黒：暗い過去　白：純潔　緑：イスラム教をそれぞれ表わす。
国歌　フィダーイー（「我が献身」「我が犠牲」といった意味を持つ）
国花　ギルボア・アイリス

国連加盟	一　年
ユネスコ加盟	2011年
世界遺産条約締約	2011年

面積　約6,020km²（西岸地区5,655km²（三重県と同程度）　ガザ地区365km²（福岡市よりやや広い））
人口　約548万人（2023年、パレスチナ中央統計局（PCBS））
　　　（西岸地区　約325万人、ガザ地区　約222万人）
　　　（注）パレスチナ難民数：約639万人（2021年、UNRWA）
　　　（西岸108万人、ガザ164万人、ヨルダン246万人、シリア65万人、レバノン54万人）
パレスチナ自治政府所在地　ラマッラ（西岸地区）
人種・民族　アラブ人
言語　アラビア語
宗教　イスラム教（92%）、キリスト教（7%）、その他（1%）
略史
(1) 1947年国連総会はパレスチナをアラブ国家とユダヤ国家に分裂する決議を採択。
　　イスラエルは1948年独立を宣言、1967年第三次中東戦争によりイスラエルが西岸・ガザを占領。
(2) 1993年のオスロ合意等に基づき、1995年からパレスチナ自治政府（PA）が西岸及びガザで自治を実施。
(3) 2004年11月、アラファト・パレスチナ解放機構（PLO）議長死去。2005年1月の大統領選挙でアッバース首相（当時）が大統領に就任。
(4) 2006年1月の立法評議会選挙において、ハマスが過半数の議席を獲得。2007年3月、サウジアラビアの仲介でパレスチナ諸派間の挙国一致内閣が成立したが、2007年6月、ハマスは武力でガザ地区を掌握。
(5) 2012年11月、パレスチナは国連の非加盟オブザーバー国家の地位獲得に係る国連総会決議案を提出し採択（わが国は賛成）。
政府　大統領：マフムード・アッバース（PLO議長を兼任）　首相　：ムハンマド・シュタイエ
議会　パレスチナ立法評議会（PLC: Palestinian Legislative Council 132名）
内政
(1) 【大統領】2004年11月にアラファトPLO議長・パレスチナ自治政府（PA）長官が逝去したことを受け、2005年1月、PA長官（現在の呼称は大統領）選挙が実施され、アッバース氏が就任し（PLO議長も兼任）、現在に至る。
(2) 【議会】2006年1月、パレスチナ立法評議会（PLC）選挙でイスラム原理主義組織であるハマスが過半数の議席を獲得。しかし、その後のパレスチナ内部の対立、ハマスの武力によるガザ掌握（2007年）等を受け、事実上、西岸とガザが分裂状態となり、PLCは現在に至るまで停止状態。2018年12月、憲法裁判所がPLCの解散及び6ヶ月以内のPLC選挙実施を呼びかける決定を下し、現在までPLC選挙は実施されていない。
2021年1月15日、アッバース大統領は、同年5月22日にPLC選挙、7月31日に大統領選挙、8月31日にパレスチナ国民議会（PNC）選挙を実施すると発表したが、同年4月29日、アッバース大統領は、イスラエルの合意が得られず、東エルサレムでの選挙実施が困難であるとして、東エルサレムでの選挙実施が保証されるまで、一連の選挙を延期する旨発表した。
(3) 【政府】2019年4月、アッバース大統領の指名に基づき、シュタイエ首相が新内閣を組閣。
(4) 2023年10月7日、ハマス等パレスチナ武装勢力が、ガザ地区からイスラエルに数千発のロケット弾を発射。更に、1500名規模がイスラエル側検問・境界を破って、イスラエル軍（IDF）兵士の他、外国人を含む市民を殺害・誘拐。これを受け、イスラエル国防軍がガザ

　地区において軍事作戦を実施。

主要産業
農・漁業（6.5%）、鉱工業・電気・水（12.1%）、建設業（4.7%）、小売業・貿易（18.3%）、金融・保険（4.5%）、公共・防衛（12.4%）、サービス業（20.4%）、運輸業（1.6%）、情報・通信（3.4%）、家事サービス（0.1%）（2021年GDPに占める割合、PCBS）

名目GDP　約188.18億ドル（2022年　IMF推定）

1人当たりGDP（GDP per capita）3,517.363ドル（2022年　IMF推定）

実質GDP成長率　4%（2022年　IMF推定）

物価上昇率　5.694%（2022年　IMF推定）

失業率　25.69%（2022年　IMF推定）

総貿易額　輸出　約10.18億ドル（2021年、PCBS）　輸入　約45.22億ドル（2021年、PCBS）

貿易品目
輸出品　セメント、石灰岩、オリーブなど　輸入品　石油・石油製品、穀物、非金属鉱物製品など

貿易相手国　イスラエル（輸出の約80%、輸入の約55%）

通貨　独自の通貨なし（イスラエル・シェケル）

為替レート　1シェケル＝約38円（2023年2月）（イスラエル中央銀行）

経済概況
(1) 1967年以降、イスラエルの占領下にあった西岸・ガザ地域は、同地域境界をイスラエル側が管理していたことから他国との通商は困難で、イスラエル経済への依存が進み、パレスチナの経済関連団体や金融機関は未発達なまま経済的自立性が失われた。

(2) 1993年以降の和平プロセスの進展に伴い、ドナー国・国際機関による対パレスチナ経済支援が進むが、2000年9月末以来、イスラエル・パレスチナ間の衝突及びそれに伴うイスラエルによる自治区封鎖、移動の制限等により、経済発展は進んでいない。

(3) 実質経済成長率は、2011年までは二桁台が続くも2013年には全体で2.8%と大幅に低下、2014年にはガザ紛争と経済封鎖により、-0.4%と2006年以来初めてのマイナス成長となった。2020年からの新型コロナウイルス感染症の流行とロックダウンにより、経済活動は落ち込み、再び-13.1%のマイナス成長を経験した。新型コロナ関連規制措置の緩和に伴う消費回復により、経済成長率の回復が見込まれるが、高い人口増加率のため一人あたりGDPは停滞気味であり、経済は十分な雇用を生んでいない。特にガザの失業率は45%以上と高止まりしており、若者を中心に住民は大きな不満を抱えている。

主要援助国
ドイツ、米国、UAE、日本、EC、スイス、トルコ、カナダ、スウェーデン、イタリア等（2022年、OCHA-FTS）

日・パレスチナ関係
政治関係
1977年2月	PLO東京事務所開設
1989年10月	アラファト議長訪日。PLO東京事務所の名称を「パレスチナ総代表部」に格上げ。
1995年6月	PLO東京事務所　資金難により閉鎖
1998年7月	在ガザ出張駐在官事務所（日本政府代表事務所）を開設
2003年9月	在本邦パレスチナ常駐総代表部　再開
2007年4月	在ガザ日本政府代表事務所をラマッラに移転

経済関係・経済協力
(1) 主要品目（財務省貿易統計）
　ア　対日輸入　医療機器、建機等　イ　対日輸出　オリーブオイル、石けん等

(2) 貿易額（財務省貿易統計）
　ア　対日輸入　363,947千円（2022年）　イ　対日輸出　49,783千円（2022年）

(3) わが国の援助（1993〜2021年度までの累積）計約23億ドル

在留邦人数　50人（2022年10月）　　**在日パレスチナ人数**　82人（2022年6月 法務省在留外国人統計）

在ラマッラ出張駐在官事務所（対パレスチナ日本政府代表事務所）
Representative Office of Japan to Palestine
Abraji House, 8th Floor, 15 Tokyo Street, Al-Masyoun, Ramallah
電話：（970-2）298-3370/1

パレスチナの世界遺産

イエスの生誕地：ベツレヘムの聖誕教会と巡礼の道
（Birthplace of Jesus: Church of the Nativity and the Pilgrimage Route, Bethlehem）
文化遺産（登録基準（iv）（vi）） 2012年

パレスチナ　　　State of Palestine
本部：ラマッラ（西岸地区）
世界遺産の数　4　世界遺産条約締約年　2011年

【登録年別】

❶イエスの生誕地：ベツレヘムの聖誕教会と巡礼の道
（Birthplace of Jesus: Church of the Nativity and the Pilgrimage Route, Bethlehem）
文化遺産（登録基準(iv)(vi)）　2012年

❷オリーブとワインの地パレスチナ-エルサレム南部バティール村の文化的景観
（Palestine:Land of Olives and Vines-Cultural Landscape of Southern Jerusalem, Battir）
文化遺産（登録基準(iv)(v)）　2014年
★【危機遺産】2014年

❸ヘブロン/アル・ハリールの旧市街
（Hebron/Al-Khalil Old Town）
文化遺産（登録基準(ii)(iv)(vi)）　2017年
★【危機遺産】2017年

❹古代エリコ / テル・エッ・スルタン
（Ancient Jericho/Tell es-Sultan）
文化遺産（登録基準(iii)(iv)）　2023年

イエスの生誕地：ベツレヘム

パレスチナの世界遺産

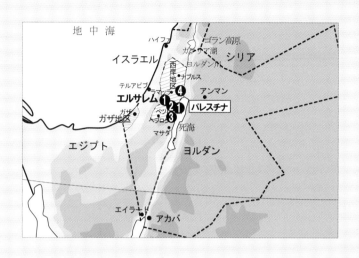

世界遺産暫定リスト記載物件

①ゲリジム山とサマリア人 (Mount Gerizim and the Samaritans)　2012年

②クムラン：死海文書が発見された洞窟群と修道院
　(QUMRAN: Caves and Monastery of the Dead Sea Scrolls)　2012年

③エル・バリヤ：修道院群と手付かずの自然
　(El-Bariyah: wilderness with monasteries)　2012年

④ワジ・ナトゥーフとシュクバ洞窟 (Wadi Natuf and Shuqba Cave)　2013年

⑤ナブルス市の旧市街とその周辺地域 (Old Town of Nablus and its environs)　2012年

⑥テル・ウム・アメール (Tell Umm Amer)　2012年

⑦シャイフの村落群 (Throne Villages)　2013年

⑧セバスティア (Sebastia)　2012年

⑨アンテドン港 (Anthedon Harbour)　2012年

⑩ウム・アル・リハンの森 (Umm Al-Rihan forest)　2012年

⑪ワジ・ガザ沿岸湿地 (Wadi Gaza Coastal Wetlands)　2012年

⑫バプテスマの地エシュリア (アル・マグタス)
　(Baptism Site "Eshria'a" (Al-Maghtas))　2015年

⑬ヒシャームの宮殿／ハルバト・アル－マフジャル
　(Hisham's Palace/ Khirbet al- Mafjar)　2020年

イエスの生誕地：ベツレヘムの聖誕教会と巡礼の道

英語名	**Birthplace of Jesus: Church of the Nativity and the Pilgrimage Route, Bethlehem**

遺産種別　　文化遺産

登録基準　　(ⅳ) 人類の歴史上重要な時代を例証する、ある形式の建造物、建築物群、技術の集積、または、景観の顕著な例。　　。
　　　　　　　　(ⅵ) 顕著な普遍的な意義を有する出来事、現存する伝統、思想、信仰、または、芸術的、文学的作品と、直接に、または、明白に関連するもの。

登録年月　　2012年7月（第36回世界遺産委員会サンクトペテルブルク（ロシア連邦）会議）

登録遺産の面積　2.98ha　　**バッファー・ゾーン**　23.45 ha

登録遺産の概要　イエスの生誕地：ベツレヘムの聖誕教会と巡礼の道は、ヨルダン川の西岸、聖地エルサレムにも近い、パレスチナ自治区ベツレヘム県のベツレヘムの町にある。ベツレヘムは、『旧約聖書』に記されたユダの町で、2世紀に書かれた『新約聖書』の「マタイによる福音書」「ルカによる福音書」によるとイエス・キリストの生誕地とされる。聖誕教会は、約2000年前のクリスマスに、イエス・キリストが誕生したと伝承されている馬小屋として使われていた洞窟の上に、339年に創建されたが、6世紀の火災で建て替えられた。現在は、ローマ・カトリック教会（フランシスコ会）、ギリシャ正教会、アルメニア正教会が区分所有し共同管理している。イスラム教、キリスト教、ユダヤ教の宗教施設が入り乱れているエルサレム周辺では、宗教施設の保護を約束する国際協定を結び、互いの宗教を尊重しあうことが約束事となっているが、2011年12月には、ギリシア正教会とアルメニア正教会の司祭間でのトラブルが発生、また、2002年には、パレスチナ勢力とイスラエルの武力衝突の中で、イスラエル軍が聖誕教会を銃撃し、ローマ法王をはじめとする宗教関係者から非難の声があがった。建物の損傷・劣化、それに、民族紛争、宗教紛争に発展する危険性を常にはらんでいることから緊急的な保護措置が必要な為、「世界遺産リスト」に登録されると同時に「危機にさらされている世界遺産リスト」に登録された。パレスチナ初の世界遺産であるが、世界遺産登録の可否については賛否両論あり、投票によって決まった。改善措置が講じられた為、2019年の第43回世界遺産委員会バクー会議で「危機遺産リスト」から解除された。

分類　　　　建造物群

物件所在地　ヨルダン川西岸地区ベツレヘム県

参考URL　　ユネスコ世界遺産センター　https://whc.unesco.org/en/list/1433

イエスの生誕地：ベツレヘム

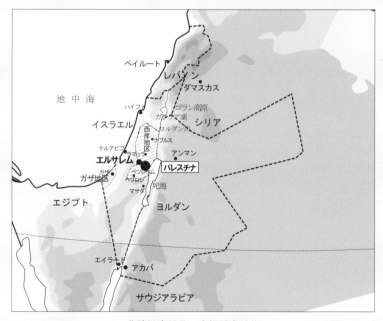

北緯31度42分　東経35度12分

パレスチナの世界遺産

オリーブとワインの地パレスチナ-エルサレム南部のバティール村の文化的景観

英語名	Palestine: Land of Olives and Vines - Cultural Landscape of Southern Jerusalem, Battir
遺産種別	文化遺産

登録基準 　（ⅳ）人類の歴史上重要な時代を例証する、ある形式の建造物、建築物群、技術の集積、または、景観の顕著な例。　。
　　　　　（ⅴ）特に、回復困難な変化の影響下で損傷されやすい状態にある場合における、ある文化（または、複数の文化）を代表する伝統的集落、または、土地利用の顕著な例。

登録年月 　2014年6月（第38回世界遺産委員会ドーハ（カタール）会議）
　　　　　★【危機遺産】2014年

登録遺産の面積　348.83 ha　　バッファー・ゾーン　623.88 ha

登録遺産の概要　　オリーブとワインの地パレスチナ-エルサレム南部のバティール村の文化的景観は、エルサレムの南部7km、ヨルダン川西岸地区の中央高原にあり、ベツレヘムの西のベイト・ジャラ（海抜約900m）からイスラエルとの休戦ライン（海抜約500m）へと展開し、世界遺産の登録面積は348.83ha、バッファー・ゾーンは623.88haで、バティール村などヨルダン川西岸地区の2つの地区の構成資産からなる。バティール村は、2000年前につくられた広い段々畑、湧水群、古代の灌漑施設、古くからの丘、要塞群、ローマ人の墓群、古村群などの考古学遺跡群、田畑間の石の家屋群、監視塔群などの歴史地区などをコアとする開放的な文化的景観が特徴である。この地域は、農業生態地域で、地形的には、ほとんどが丘陵や岩肌だが、耕作が可能な地域ではオリーブ、蒲萄、アーモンド、穀物、野菜などが作られている。ヨルダン川の西岸地区は、イスラエルと分断されている為、もともと保存管理上の難点があり、またイスラエルが計画しているテロ対策の為の分離壁の建設によってバティール村の農民がこれまで育ててきた畑に近づけないこと、それに過去数世紀にわたって形成された文化的景観が損なわれる懸念があることから、第38回世界遺産委員会ドーハ会議で、世界遺産リストに登録されると同時に危機遺産リストにも登録された。

分類　　　　　遺跡、文化的景観

物件所在地　　ヨルダン川西岸地区ベツレヘム県Bethlehem Western Rural Areas

参考URL　　　ユネスコ世界遺産センター　https://whc.unesco.org/en/list/1492

バティール村の文化的景観

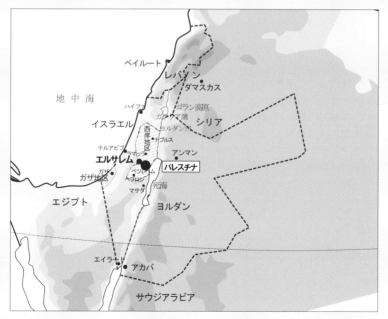

北緯31度42分　東経35度9分

ヘブロン/アル・ハリルの旧市街

英語名	**Hebron/Al-Khalil Old Town**

遺産種別　　文化遺産

登録基準　　（ii）ある期間を通じて、または、ある文化圏において、建築、技術、記念碑的
　　　　　　　　芸術、町並み計画、景観デザインの発展に関し、人類の価値の重要な交流
　　　　　　　　を示すもの。
　　　　　　　（iv）人類の歴史上重要な時代を例証する、ある形式の建造物、建築物群、技術の
　　　　　　　　集積、または、景観の顕著な例。　。
　　　　　　　（vi）顕著な普遍的な意義を有する出来事、現存する伝統、思想、信仰、または、
　　　　　　　　芸術的、文学的作品と、直接に、または、明白に関連するもの。

登録年月　　2017年7月（第41回世界遺産委員会クラクフ（ポーランド）会議）
　　　　　　　★【危機遺産】2017年

登録遺産の面積　20.6 ha　　**バッファー・ゾーン**　152.2 ha

登録遺産の概要　ヘブロン/アル・ハリルの旧市街は、パレスチナの南部、ヨルダン川西岸地区ヘブロン県ヘブロン市にある。エルサレムの南約30km、海抜900〜950mにある古都で、ヨルダン川の西岸地区の南端のヘブロン県の県都で、ユダヤ教・キリスト教・イスラム教の共通の聖地の一つで、イブラヒム・モスクとしても知られるハラムシャリーフには、預言者アブラハム（イブラヒム）、イサク、ヤコブと彼らの妻たちの墓があるとされる。ヘブロンは、アラビア語ではハリルラフマン或はアル・ハリル（パレスチナではイル・ハリル）という名で、「神の友人」を意味する。モスクから発展した保存状態の良いマムルーク朝時代（1250〜1517年とオスマン帝国時代（1517〜1917年）の歴史都市は、何世紀もの間に創造された活気のある多文化な町である。ヘブロンは、パレスチナ自治区の中でも最もイスラエルとの対立が激しい町の一つで、1994年にイスラエル（ユダヤ人）が入植を開始して以降、ヘブロンに住むパレスチナ人を追い出すための暴力行為が繰り返されると共に、ユダヤ人の入植者が大量に住み着くようになった。イスラエル建国以来、ヨルダン領だったが、1967年の中東戦争後、イスラエルに併合された。1997年のヘブロン合意によってパレスチナ自治政府の自治が一部認められたが、ユダヤ人の入植とそれに反発するパレスチナ人の間でテロなど深刻な対立が続き、危機的な状況にあることから2017年の第41回世界遺産委員会クラクフ会議で緊急登録された。

分類　　　遺跡

物件所在地　ヨルダン川西岸地区

参考URL　ユネスコ世界遺産センター　**https://whc.unesco.org/en/list/1565**

ヘブロン/アル・ハリルの旧市街

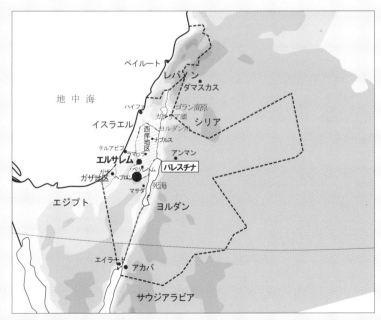

北緯31度31分　東経35度6分

パレスチナの世界遺産

エリコの古代遺跡 / テル・エッ・スルタン

英語名	**Ancient Jericho/Tell es-Sultan**

遺産種別　　文化遺産

登録基準　　（iii）現存する、または、消滅した文化的伝統、または、文明の、唯一の、または、
　　　　　　　　　　少なくとも稀な証拠となるもの。
　　　　　　　（iv）人類の歴史上重要な時代を例証する、ある形式の建造物、建築物群、技術の
　　　　　　　　　　集積、または、景観の顕著な例。　。

登録年月　　2023年9月（第45回世界遺産委員会リヤド会議）

登録遺産の面積　5.93ha　**バッファー・ゾーン**　22.53ha

登録遺産の概要　エリコの古代遺跡/テル・エッ・スルタンは、パレスチナの東部、東側を流れるヨルダン川と、西側にあるエルサレムとの間に位置するヨルダン渓谷のエリコにある楕円形のテル（マウンド）である。このテルには、人間の活動の先史時代の堆積物が含まれており、隣接するアイン・エス・スルタンの多年生泉も含まれている。紀元前8000年～9000年頃には、オアシスの肥沃な土壌と水への容易なアクセスのため、ここに恒久的な定住地が形成された。遺跡からは、そこに住んでいた新石器時代の人々の間でカルト的な習慣があったことを示す頭蓋骨や彫像が見つかっており、初期青銅器時代の考古学的資料には都市計画の兆候が見られる。中期青銅器時代の遺跡からは、社会的に複雑な集団が住んでいた大規模なカナン人の都市国家の存在が明らかになった。第45回世界遺産委員会リヤド会議での決定にイスラエルは反発し、途中退席した。

分類　　　　遺跡

物件所在地　　ヨルダン川西岸地区エリコ県エリコ市

参考URL　　ユネスコ世界遺産センター　https://whc.unesco.org/en/list/1687

エリコの古代遺跡

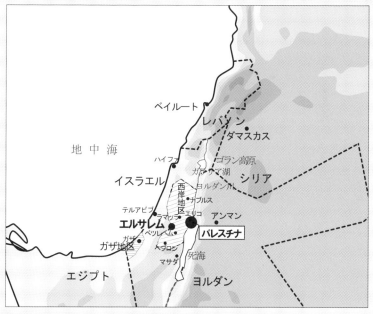

北緯31度52分　東経35度26分

パレスチナの世界遺産

パレスチナの世界無形文化遺産

パレスチナの伝統舞踊、ダブケ
（Dabkeh, traditional dance in Palestine）
2023年

パレスチナのヒカイェ

準拠　無形文化遺産の保護に関する条約（略称：無形文化遺産保護条約）

目的　グローバル化により失われつつある多様な文化を守る為、無形文化遺産尊重の
　　　　意識を向上させ、その保護に関する国際協力を促進する。

登録遺産名　**Palestinian Hikaye**

人類の無形文化遺産の代表的なリスト（略称：代表リスト）への登録年　2008年

登録遺産の概要　パレスチナのヒカイェは、女性によって他の女性や子供に語る口承による伝
統である。話は作り話であるが、中東のアラブ社会に関することや家族のことを話題にする。
この様に、ヒカイェは、女性の視点からの社会風刺や女性の生活に直接的に抵触する社会構造
を投影する。話の中で語られる葛藤の多くは、義務と願望の間で苦悩する女性を描写する。ヒ
カイェは、通常、冬の夜に母親と子供の小グループの出席のもとに家庭で語られる。話は、パ
レスチナの方言、すなわち、田舎の方言ではファラヒ、都会ではマダニで語られる。70歳を越
えるパレスチナの女性のほとんどがヒカイェであり、この伝統は、年長の女性から引き継がれ
てきた。パレスチナのヒカイェは、パレスチナの置かれている現在の政治的な状況、テレビな
どマスメディアによる古い慣習だとする報道などが存続の脅威になっている。　2008年 ← 2005
年第3回傑作宣言

分類　口承による伝統及び表現

登録基準　「代表リスト」への登録申請にあたっては、次のR.1～R.5までの5つの基準を
　　　　　全て満たさなければならない。

R.1　要素は、条約第2条で定義された無形文化遺産を構成すること。
R.2　要素の登録は、無形文化遺産の認知と重要性の意識の向上が確保され、世界の文化の
　　　多様性を反映し、人類の創造性を示す対話が奨励されること。
R.3　要素を保護し促進する保護措置が図られていること。
R.4　要素は、関係するコミュニティー、集団、或は、場合によっては、個人の可能な限り
　　　幅広い参加、そして、彼らの自由な、事前説明を受けた上での同意をもって申請された
　　　ものであること。
R.5　要素は、条約第11条と第12条で定義された、締約国の領域内にある無形文化遺産の提出
　　　目録に含まれていること。

地域　ガザ地区、ヨルダン川西岸地区、ガリラヤ

脅威　急速な社会文化の変化

参考URL　https://ich.unesco.org/en/RL/palestinian-hikaye-00124

パレスチナのヒカイェ

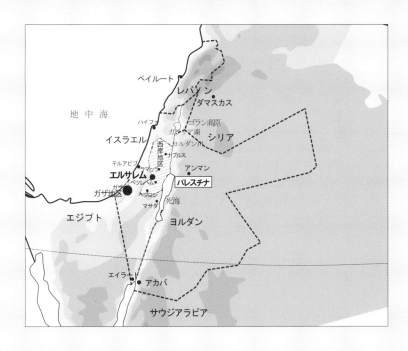

パレスチナの世界無形文化遺産

ナツメヤシの知識、技術、伝統及び慣習

準拠　無形文化遺産の保護に関する条約（略称：無形文化遺産保護条約）

目的　グローバル化により失われつつある多様な文化を守る為、無形文化遺産尊重の意識を向上させ、その保護に関する国際協力を促進する。

登録遺産名　Date palm, knowledge, skills, traditions and practices

人類の無形文化遺産の代表的なリスト（略称：代表リスト）への登録年　2022年

登録遺産の概要　ナツメヤシの知識、技術、伝統及び慣習は、サウジアラビア、バーレン、エジプト、イラク、ヨルダン、クウェート、モーリタニア、モロッコ、オマーン、パレスチナ、スーダン、チュニジア、アラブ首長国連邦、イエメンのアラブ諸国の各地で行われている。ナツメヤシは、何世紀にもわたって、数多くの関連の工芸、職業、伝統を起こしてきた。担い手たちや従事者は、ナツメヤシ農場のオーナー、植物を育てる農夫、伝統的な関連製品を生産する工芸人たち、ナツメヤシの商人、芸術家、関連した民話や詩の演者などである。ナツメヤシは、厳しい砂漠の環境での生活に直面する人々を助けるのに重要な役割を果たした。ナツメヤシの知識、技術、伝統及び慣習は、何世紀にもわたって、その保護に、地域社会と関わってきた。サウジアラビア、バーレン、エジプト、イラク、ヨルダン、クウェート、モーリタニア、モロッコ、オマーン、パレスチナ、スーダン、チュニジア、アラブ首長国連邦、イエメンとの共同登録。

分類　自然及び万物に関する知識及び慣習、口承による伝統及び表現、社会的慣習、儀式及び祭礼行事、伝統工芸技能

登録基準　「代表リスト」への登録申請にあたっては、次のR.1〜R.5までの5つの基準を全て満たさなければならない。

R.1　要素は、条約第2条で定義された無形文化遺産を構成すること。
R.2　要素の登録は、無形文化遺産の認知と重要性の意識の向上が確保され、世界の文化の多様性を反映し、人類の創造性を示す対話が奨励されること。
R.3　要素を保護し促進する保護措置が図られていること。
R.4　要素は、関係するコミュニティー、集団、或は、場合によっては、個人の可能な限り幅広い参加、そして、彼らの自由な、事前説明を受けた上での同意をもって申請されたものであること。
R.5　要素は、条約第11条と第12条で定義された、締約国の領域内にある無形文化遺産の提出目録に含まれていること。

参考URL　https://ich.unesco.org/en/RL/date-palm-knowledge-skills-traditions-and-practices-01902

ナツメヤシの知識、技術、伝統及び慣習

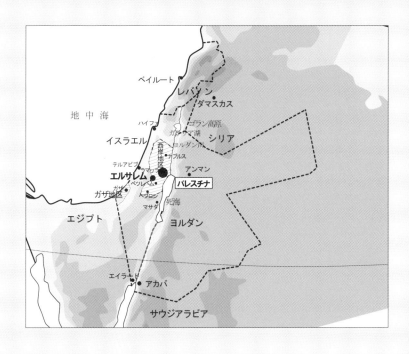

パレスチナの世界無形文化遺産

パレスチナの刺繍芸術とその慣習・技術・知識及び儀式

準拠　無形文化遺産の保護に関する条約（略称：無形文化遺産保護条約）

目的　グローバル化により失われつつある多様な文化を守る為、無形文化遺産尊重の意識を向上させ、その保護に関する国際協力を促進する。

登録遺産名　**The art of embroidery in Palestine、practices、skills、knowledge and rituals**

人類の無形文化遺産の代表的なリスト（略称：代表リスト）への登録年　2021年

登録遺産の概要　パレスチナの刺繍芸術とその慣習・技術・知識及び儀式は、パレスチナの全土の都市や村、難民キャンプなどで行われている。もともと、農村部で作られ織られていたが、現在は、離散して故郷パレスチナ以外の地に住むユダヤ人の間でも行われている。女性の村の衣類は、通常、ロングドレス、ズボン、ジャケット、バッグ、頭飾り、ベール、インテリア・グッズからなる。これらの服装には、鳥、木、花など多様なシンボルが刺繍されている。色とデザインの選択は、女性の地域的なアイデンティティ、結婚、経済的なステイタスを示すものである。刺繍は、羊毛、亜麻布、綿の上に、絹糸で縫われる。多くの女性は趣味としての刺繍であるが、貴重な収入源として、家族の収入を補足する為につくり売る人たちもいる。パレスチナの刺繍芸術は彼らの伝統と誇りを受け継ぐ象徴として大切にされている。パレスチナの民族衣装は見事な手刺繍で世界的にも有名であり、ロンドンの大英博物館にも多くのコレクションが収蔵されている。

分類　口承による伝統及び表現、社会的慣習、儀式及び祭礼行事、自然及び万物に関する知識及び慣習、伝統工芸技術

登録基準　「代表リスト」への登録申請にあたっては、次のR.1～R.5までの5つの基準を全て満たさなければならない。

R.1　要素は、条約第2条で定義された無形文化遺産を構成すること。

R.2　要素の登録は、無形文化遺産の認知と重要性の意識の向上が確保され、世界の文化の多様性を反映し、人類の創造性を示す対話が奨励されること。

R.3　要素を保護し促進する保護措置が図られていること。

R.4　要素は、関係するコミュニティー、集団、或は、場合によっては、個人の可能な限り幅広い参加、そして、彼らの自由な、事前説明を受けた上での同意をもって申請されたものであること。

R.5　要素は、条約第11条と第12条で定義された、締約国の領域内にある無形文化遺産の提出目録に含まれていること。

参考URL　**https://ich.unesco.org/en/RL/date-palm-knowledge-skills-traditions-and-practices-01902**

パレスチナの刺繍芸術とその慣習・技術・知識及び儀式

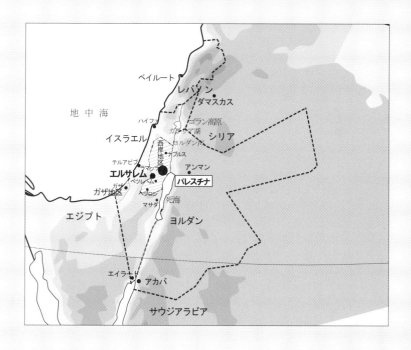

パレスチナの世界無形文化遺産

アラビア書道：知識、技術、実践

準拠 　　無形文化遺産の保護に関する条約（略称：無形文化遺産保護条約）

目的 　　グローバル化により失われつつある多様な文化を守る為、無形文化遺産尊重の意識を向上させ、その保護に関する国際協力を促進する。

登録遺産名 　**Arabic calligraphy、knowledge、skills and practices**

人類の無形文化遺産の代表的なリスト（略称：代表リスト）への登録年　2021年

登録遺産の概要 　アラビア書道：知識、技術、実践は、サウジアラビア・アルジェリア・バーレン ・エジプト・イラク・ ヨルダン・クウェート・ レバノン ・モーリタニア・モロッコ ・オマーン ・パレスチナ・ スーダン ・チュニジア・ アラブ首長国連邦・ イエメンなどアラブ諸国の各地で行われているアラビア文字を用いて書かれる文字芸術で、イスラム教の聖典コーランの章句を表したその美しい文字は、千年の歳月をかけて洗練されてきた。アラビア文字とは、北セム系統のアラム系アルファベットで、28の子音を表す文字からなり、他のセム文字と同様に、右から左へと書かれる。宗教的なテキストに使われていることの重要性に加え、アラビア書道は、歴史を通してアラビア語が進歩する上で極めて重要な役割を果たしてきた。アラビア書道は、何世紀もの間、アラブ人に誇りと帰属意識が生じさせ、アラブの文化や習慣、宗教的な価値観の伝達と普及に貢献した。また、芸術家やデザイナーが絵画や彫刻、「カリグラフィティ」と呼ばれるグラフィティなど、様々なメディアに取り入れるなど、高い人気を誇っている。イスラム教の各地への広がりと共に、アラビア書道の書体も各地域、年代で多様な形のものが現れ、独自の発展を遂げた。伝統的なアラビア書道は、師匠が弟子を取り、直接伝えるという形で継承されている。サウジアラビア主導で、アラブ教育文化学術機構の監督のもとでアラブ15か国が協力した結果、代表リストへの登録が実現した。わが国にも日本アラビア書道協会がある。*サウジアラビア／アルジェリア／バーレン／エジプト／イラク／ヨルダン／クウェート／レバノン／モーリタニア／モロッコ／オマーン／パレスチナ／スーダン／チュニジア／アラブ首長国連邦／イエメンとの共同登録。*

分類 　社会的慣習、儀式及び祭礼行事、伝統工芸技術
登録基準 　「代表リスト」への登録申請にあたっては、次のR.1～R.5までの5つの基準を全て満たさなければならない。
　R.1 要素は、条約第2条で定義された無形文化遺産を構成すること。
　R.2 要素の登録は、無形文化遺産の認知と重要性の意識の向上が確保され、世界の文化の多様性を反映し、人類の創造性を示す対話が奨励されること。
　R.3 要素を保護し促進する保護措置が図られていること。
　R.4 要素は、関係するコミュニティー、集団、或は、場合によっては、個人の可能な限り幅広い参加、そして、彼らの自由な、事前説明を受けた上での同意をもって申請されたものであること。
　R.5 要素は、条約第11条と第12条で定義された、締約国の領域内にある無形文化遺産の提出目録に含まれていること。
地域 　アル・カシーム州、アル・ヒジャーズ、マディーナ、アル・リヤード州の各オアシス

参考URL 　https://ich.unesco.org/en/RL/arabic-calligraphy-knowledge-skills-and-practices-01718

アラビア書道：知識、技術、実践

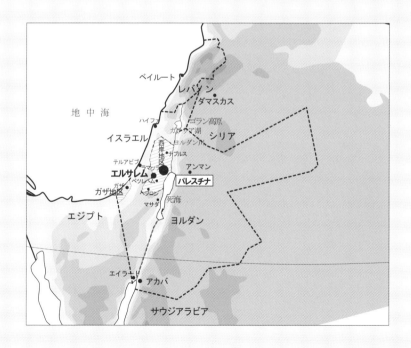

パレスチナの世界無形文化遺産

金属（金、銀、銅）に彫刻を施す芸術、技術、および実践

準拠	無形文化遺産の保護に関する条約（略称：無形文化遺産保護条約）
目的	グローバル化により失われつつある多様な文化を守る為、無形文化遺産尊重の意識を向上させ、その保護に関する国際協力を促進する。
登録遺産名	**Arts, skills and practices associated with engraving on metals (gold, silver and copper)**

人類の無形文化遺産の代表的なリスト（略称：代表リスト）への登録年　2023年

登録遺産の概要　金属（金、銀、銅）に彫刻を施す芸術、技術、および実践は、数世紀にわたる伝統的な技術である。職人は、異なるツールを使用して、オブジェクトにシンボル、名前、クルアーンの詩句、祈り、幾何学的なパターンを手作業で切り込む。彫刻は凹面（くぼみ）または凸面（隆起）である場合がある。また、金、銀などの異なる種類の金属を組み合わせたものである場合もある。社会的および象徴的な意味と機能は、関係するコミュニティによって異なる。ジュエリーや家庭用品などの彫刻されたオブジェクトは、しばしば結婚の伝統的な贈り物として贈られたり、宗教的な儀式や代替医療で使用されたりする。たとえば、特定の種類の金属には、治癒効果があると信じられている。金属の彫刻は、家族内での観察と実践を通じて伝えられる。また、トレーニングセンターや組織、大学などが主催するワークショップを通じても伝えられる。出版物、文化イベント、ソーシャルメディアも、関連する知識と技能の伝達に貢献している。金属の彫刻と彫刻されたオブジェクトの使用は、すべての年齢層と性別の人々によって行われ、文化的、宗教的、地理的アイデンティティおよびコミュニティの社会経済的地位を表現する手段である。イラク、アルジェリア、エジプト、モーリタニア、モロッコ、サウジアラビア、スーダン、チュニジア、イエメンとの共同登録。

分類　自然及び万物に関する知識及び慣習、口承による伝統及び表現、芸能、
社会的慣習、儀式及び祭礼行事、伝統工芸技術

登録基準　「代表リスト」への登録申請にあたっては、次のR.1～R.5までの5つの基準を
全て満たさなければならない。
R.1　要素は、条約第2条で定義された無形文化遺産を構成すること。
R.2　要素の登録は、無形文化遺産の認知と重要性の意識の向上が確保され、世界の文化の
多様性を反映し、人類の創造性を示す対話が奨励されること。
R.3　要素を保護し促進する保護措置が図られていること。
R.4　要素は、関係するコミュニティー、集団、或は、場合によっては、個人の可能な限り
幅広い参加、そして、彼らの自由な、事前説明を受けた上での同意をもって申請された
ものであること。
R.5　要素は、条約第11条と第12条で定義された、締約国の領域内にある無形文化遺産の提出
目録に含まれていること。

参考URL　https://ich.unesco.org/en/RL/arts-skills-and-practices-associated-with-engraving-
on-metals-gold-silver-and-copper-01951

金属（金、銀、銅）に彫刻を施す芸術、技術、および実践

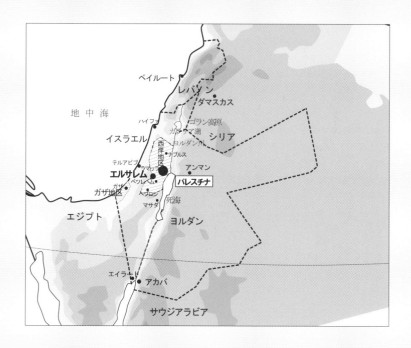

パレスチナの世界無形文化遺産

パレスチナの伝統舞踊、ダブケ

準拠　　　　無形文化遺産の保護に関する条約（略称：無形文化遺産保護条約）

目的　　　　グローバル化により失われつつある多様な文化を守る為、無形文化遺産尊重の
　　　　　　　意識を向上させ、その保護に関する国際協力を促進する。

登録遺産名　　**Dabkeh, traditional dance in Palestine**

人類の無形文化遺産の代表的なリスト（略称：代表リスト）への登録年　2023年

登録遺産の概要　　ダブケは、パレスチナで人気のあるグループダンスで、伝統的な風楽器とポ
ピュラーな歌に合わせて踊られる伝統舞踊である。ダブケは、祭り、お祝い、結婚式、卒業式
などのイベントで、いくつかの地域で演奏される。ダブケは、性別に関係なく、11人の踊り手
によって踊られる。ダンサーは、手をつないで肩を組み、結束を示す。動きには、ジャンプや
足で地面を叩くものが含まれる。ダンスは、プロのグループによって演奏されることも、公共
の広場や家族の庭で自発的に演奏されることもある。ほとんどのパレスチナ人は、ダブケを知
っており、家族、友人、隣人と喜びを共有する手段として練習している。伴奏する民謡の歌詞
は、勇気、力、愛など、その場の感情を表現している。ダブケとそれに付随する工芸品は、一
対一の学習やトレーニングを通じて非公式に伝えられる。若者たちは、ダブケが演奏される社
交的な祝賀会に参加したり、大人を真似たりすることで学ぶ。この習慣は、夏休みの活動、学
校や大学、既存のオーディオビジュアルメディアや出版物を通じても伝えられる。ダブケは、
文化的アイデンティティを表現し、家族の行事を祝い、社会的つながりを増やす手段である。

分類　　口承による伝統及び表現、社会的慣習、儀式及び祭礼行事、
　　　　　自然及び万物に関する知識及び慣習、伝統工芸技術

登録基準　　「代表リスト」への登録申請にあたっては、次のR.1～R.5までの5つの基準を
　　　　　　全て満たさなければならない。

R.1　要素は、条約第2条で定義された無形文化遺産を構成すること。

R.2　要素の登録は、無形文化遺産の認知と重要性の意識の向上が確保され、世界の文化の
　　　多様性を反映し、人類の創造性を示す対話が奨励されること。

R.3　要素を保護し促進する保護措置が図られていること。

R.4　要素は、関係するコミュニティー、集団、或は、場合によっては、個人の可能な限り
　　　幅広い参加、そして、彼らの自由な、事前説明を受けた上での同意をもって申請された
　　　ものであること。

R.5　要素は、条約第11条と第12条で定義された、締約国の領域内にある無形文化遺産の提出
　　　目録に含まれていること。

地域　　ヘブロン、ベツレヘム、ラマッラ、ナブルスなど。

参考URL　https://ich.unesco.org/en/RL/dabkeh-traditional-dance-in-palestine-01998

ダブケ

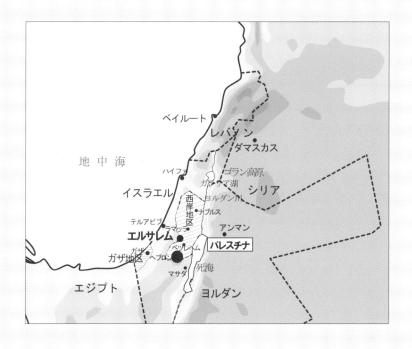

パレスチナの世界無形文化遺産

オリーブとワインの地パレスチナ-エルサレム南部バティール村の文化的景観
（Palestine:Land of Olives and Vines-Cultural Landscape of Southern Jerusalem, Battir）
文化遺産（登録基準（iv）（v）） 2014年
★【危機遺産】2014年

世界遺産、世界無形文化遺産、世界の記憶の比較

	世界遺産	世界無形文化遺産	世界の記憶
準拠	世界の文化遺産および自然遺産の保護に関する条約（略称：世界遺産条約）	無形文化遺産の保護に関する条約（略称：無形文化遺産保護条約）	メモリー・オブ・ザ・ワールド・プログラム（略称：MOW）＊条約ではない
採択・開始	1972年	2003年	1992年
目的	かけがえのない遺産をあらゆる脅威や危険から守る為に、その重要性を広く世界に呼びかけ、保護・保全の為の国際協力を推進する。	グローバル化により失われつつある多様な文化を守るため、無形文化遺産尊重の意識を向上させ、その保護に関する国際協力を促進する。	人類の歴史的な文書や記録など、忘却してはならない貴重な記録遺産を登録し、最新のデジタル技術などで保存し、広く公開する。
対象	有形の不動産（文化遺産、自然遺産）	文化の表現形態・口承及び表現・芸能・社会的慣習、儀式及び祭礼行事・自然及び万物に関する知識及び慣習・伝統工芸技術	・文書類（手稿、写本、書籍等）・非文書類（映画、音楽、地図等）・視聴覚類（映画、写真、ディスク等）・その他 記念碑、碑文など
登録申請	各締約国（195か国）2023年12月現在	各締約国（182か国）2023年12月現在	国、地方自治体、団体、個人など
審議機関	世界遺産委員会（委員国21か国）	無形文化遺産委員会（委員国24か国）	ユネスコ事務局長国際諮問委員会
審査評価機関	NGOの専門機関(ICOMOS, ICCROM, IUCN)現地調査と書類審査	無形文化遺産委員会の評価機関6つの専門機関と6人の専門家で構成	国際諮問委員会の補助機関 登録分科会専門機関(IFLA, ICA, ICAAA, ICOM などのNGO)
リスト	世界遺産リスト （1199件）うち日本 （25件）	人類の無形文化遺産の代表的なリスト （611件）うち日本 （22件）	世界の記憶リスト （494件）うち日本 （8件）
登録基準	必要条件 ：10の基準のうち、1つ以上を完全に満たすこと。顕著な普遍的価値	必要条件 ：5つの基準を全て満たすこと。コミュニティへの社会的な役割と文化的な意味	必要条件：5つの基準のうち、1つ以上の世界的な重要性を満たすこと。世界史上重要な文書や記録
危機リスト	危機にさらされている世界遺産リスト（略称：危機遺産リスト）（56件）	緊急に保護する必要がある無形文化遺産のリスト（82件）	―
基金	世界遺産基金	無形文化遺産保護基金	世界の記憶基金
事務局	ユネスコ世界遺産センター	ユネスコ文化局無形遺産課	ユネスコ情報・コミュニケーション局知識社会部ユニバーサルアクセス・保存課
指針	オペレーショナル・ガイドラインズ（世界遺産条約履行の為の作業指針）	オペレーショナル・ディレクティブス（無形文化遺産保護条約履行の為の運用指示書）	ジェネラル・ガイドラインズ（記録遺産保護の為の一般指針）
サウジの窓口	外務省、環境省、林野庁文化庁文化資源活用課	外務省、文化庁文化資源活用課	文化科学省日本ユネスコ国内委員会

比較

	世 界 遺 産	世界無形文化遺産	世界の記憶
代表例	<自然遺産> ○ キリマンジャロ国立公園（タンザニア） ○ グレート・バリア・リーフ（オーストラリア） ○ グランド・キャニオン国立公園（米国） ○ ガラパゴス諸島（エクアドル） <文化遺産> ● アンコール（カンボジア） ● タージ・マハル（インド） ● 万里の長城（中国） ● モン・サン・ミッシェルとその湾（フランス） ● ローマの歴史地区（イタリア・ヴァチカン） <複合遺産> ◎ チャンアン景観遺産群（ヴェトナム） ◎ トンガリロ国立公園（ニュージーランド） ◎ マチュ・ピチュの歴史保護区（ペルー） 　　　　　　　　　　　　　　　　など	◉ ジャマ・エル・フナ広場の文化的空間 　（モロッコ） ◉ ベドウィン族の文化空間（ヨルダン） ◉ ヨガ（インド） ◉ カンボジアの王家の舞踊（カンボジア） ◉ ヴェトナムの宮廷音楽、 　ニャー・ニャック（ヴェトナム） ◉ イフガオ族のフドフド詠歌（フィリピン） ◉ 端午節（中国） ◉ 江陵端午祭（カンルンタノジュ）（韓国） ◉ コルドバのパティオ祭り（スペイン） ◉ フランスの美食（フランス） ◉ ドゥブロヴニクの守護神聖ブレイズの 　祝祭（クロアチア） 　　　　　　　　　　　　　　　　など	○ アンネ・フランクの日記（オランダ） ○ ゲーテ・シラー資料館のゲーテの 　直筆の文学作品（ドイツ） ○ ブラームスの作品集（オーストリア） ○ 朝鮮王朝実録（韓国） ○ オランダの東インド会社の記録文書 　（インドネシア） ○ 解放闘争の生々しいアーカイヴ・ 　コレクション（南アフリカ） ○ エレノア・ルーズベルト文書プロジェクト 　の常設展（米国） ○ ヴァスコ・ダ・ガマのインドへの最初の 　航海史1497〜1499年（ポルトガル） 　　　　　　　　　　　　　　　　など
日本関係	（25件） <自然遺産> ○ 白神山地 ○ 屋久島 ○ 知床 ○ 小笠原諸島 <文化遺産> ● 法隆寺地域の仏教建造物 ● 姫路城 ● 古都京都の文化財 　（京都市 宇治市 大津市） ● 白川郷・五箇山の合掌造り集落 ● 広島の平和記念碑（原爆ドーム） ● 厳島神社 ● 古都奈良の文化財 ● 日光の社寺 ● 琉球王国のグスク及び関連遺産群 ● 紀伊山地の霊場と参詣道 ● 石見銀山遺跡とその文化的景観 ● 平泉ー仏国土（浄土）を表す建築・ 　庭園及び考古学的遺跡群ー ● 富士山ー信仰の対象と芸術の源泉 ● 富岡製糸場と絹産業遺産群 ● 明治日本の産業革命遺産 　ー製鉄・製鋼、造船、石炭産業 ● ル・コルビュジエの建築作品 　ー近代化運動への顕著な貢献 ● 「神宿る島」宗像・沖ノ島と関連遺産群 ● 長崎と天草地方の潜伏キリシタン関連 　遺産 ● 百舌鳥・古市古墳群 ○ 奄美大島、徳之島、沖縄島北部 　及び西表島 ● 北海道・北東北の縄文遺跡群	（22件） ◉ 能楽 ◉ 人形浄瑠璃文楽 ◉ 歌舞伎 ◉ 秋保の田植踊（宮城県） ◉ 題目立（奈良県） ◉ 大日堂舞楽（秋田県） ◉ 雅楽 ◉ 早池峰神楽（岩手県） ◉ 小千谷縮・越後上布ー新潟県魚沼 　地方の麻織物の製造技術（新潟県） ◉ 奥能登のあえのこと（石川県） ◉ アイヌ古式舞踊（北海道） ◉ 組踊、伝統的な沖縄の歌劇（沖縄県） ◉ 結城紬、絹織物の生産技術 　（茨城県、栃木県） ◉ 壬生の花田植、広島県壬生の田植 　の儀式（広島県） ◉ 佐陀神能、島根県佐太神社の神楽 　（島根県） ◉ 那智の田楽,那智の火祭りで演じられる 　宗教的な民俗芸能（和歌山県） ◉ 和食；日本人の伝統的な食文化 ◉ 和紙；日本の手漉和紙技術 　（島根県、岐阜県、埼玉県） ◉ 日本の山・鉾・屋台行事 　（青森県、埼玉県、京都府など18府県33件） ◉ 来訪神：仮面・仮装の神々 　（秋田県など8県10件） ◉ 伝統建築工匠の技木造建造物を 　受け継ぐための伝統技術 ◉ 風流踊（神奈川県など24都府県41件）	（8件） ○ 山本作兵衛コレクション 　<所蔵機関>田川市石炭・歴史博物館 　福岡県立大学附属研究所（福岡県田川市） ○ 慶長遣欧使節関係資料 　（スペインとの共同登録） 　<所蔵機関>仙台市博物館（仙台市） ○ 御堂関白記：藤原道長の自筆日記 　<所蔵機関>公益財団法人陽明文庫 　　　　　　（京都市右京区） ○ 東寺百合文書 　<所蔵機関>京都府立総合資料館 　　　　　　（京都市左京区） ○ 舞鶴への生還ー1946〜1953シベリア 　抑留等日本人の本国への引き揚げの記録 　<所蔵機関>舞鶴引揚記念館 　　　　　　（京都府舞鶴市） ○ 上野三碑（こうずけさんぴ） 　<所蔵機関>高崎市 ○ 朝鮮通信使に関する記録 17〜19世紀 　の日韓間の平和構築と文化交流の歴史 　（韓国との共同登録） 　<所蔵機関>東京国立博物館、長崎県立 　対馬歴史民俗資料館、日光東照宮など ○ 智証大師円珍関係文書典籍 　ー 日本・中国のパスポートー 　<所蔵機関>宗教法人園城寺（滋賀県大津市） 　　　　　　東京国立博物館
	※佐渡島（さど）の金山	※伝統的な酒造り	

比較

〈著者プロフィール〉

古田 陽久（ふるた・はるひさ　FURUTA Haruhisa）
世界遺産総合研究所 所長

1951年広島県生まれ。1974年慶応義塾大学経済学部卒業、1990年シンクタンクせとうち総合研究機構を設立。アジアにおける世界遺産研究の先覚・先駆者の一人で、「世界遺産学」を提唱し、1998年世界遺産総合研究所を設置、所長兼務。毎年の世界遺産委員会や無形文化遺産委員会などにオブザーバー・ステータスで参加、中国杭州市での「首届中国大運河国際高峰論壇」、クルーズ船「にっぽん丸」、三鷹国際交流協会の国際理解講座、日本各地の青年会議所（JC）での講演など、その活動を全国的、国際的に展開している。これまでにイタリア、中国、スペイン、フランス、ドイツ、インド、メキシコ、英国、ロシア連邦、アメリカ合衆国、ブラジル、オーストラリア、ギリシャ、カナダ、トルコ、ポルトガル、ポーランド、スウェーデン、ベルギー、韓国、スイス、チェコ、ペルー、キューバ、サウジアラビアなど69か国、約300の世界遺産地を訪問している。HITひろしま観光大使(広島県観光連盟)、防災士(日本防災士機構)現在、広島市佐伯区在住。

【専門分野】世界遺産制度論、世界遺産論、自然遺産論、文化遺産論、危機遺産論、地域遺産論、日本の世界遺産、世界無形文化遺産、世界の記憶、世界遺産と教育、世界遺産と観光、世界遺産と地域づくり・まちづくり

【著書】「世界の世界の記憶60」(幻冬舎)、「世界遺産データ・ブック」、「世界無形文化遺産データ・ブック」、「世界の記憶データ・ブック」(世界世界の記憶データブック)、「誇れる郷土データ・ブック」、「世界遺産ガイド」シリーズ、「ふるさと」「誇れる郷土」シリーズなど多数。

【執筆】連載「世界遺産への旅」、「世界世界の記憶の旅」、日本政策金融公庫調査月報「連載『データで見るお国柄』」、「世界遺産を活用した地域振興－『世界遺産基準』の地域づくり・まちづくりー」(月刊「地方議会人」)、中日新聞・東京新聞サンデー版「大図解危機遺産」、「現代用語の基礎知識2009」(自由国民社)世の中ペディア「世界遺産」など多数。

【テレビ出演歴】TBSテレビ「あさチャン！」、「ひるおび」、「NEWS23」、テレビ朝日「モーニングバード」、「やじうまテレビ」、「ANNスーパーJチャンネル」、日本テレビ「スッキリ!!」、フジテレビ「めざましテレビ」、「スーパーニュース」、「とくダネ!」、NHK福岡「ロクいち！」、テレビ岩手「ニュースプラス１いわて」など多数。
【ホームページ】「世界遺産と総合学習の杜」http://www.wheritage.net/

世界遺産ガイド －イスラエルとパレスチナ編－

2024年（令和6年）2月25日　初版 第1刷

著　　　者　古田 陽久
企画・編集　世界遺産総合研究所
発　　　行　シンクタンクせとうち総合研究機構 ©
　　　　　　〒731-5113
　　　　　　広島市佐伯区美鈴が丘緑三丁目4番3号
　　　　　　TEL＆FAX　082-926-2306
　　　　　　電子メール　wheritage@tiara.ocn.ne.jp
　　　　　　インターネット　http://www.wheritage.net
　　　　　　出版社コード　86200

Complied and Printed in Japan, 2024　ISBN978-4-86200-274-7 C1520 Y2727E

発行図書のご案内

世界遺産シリーズ

世界遺産データ・ブック 2024年版 新刊
978-4-86200-272-3 本体2727円 2024年1月発行
最新のユネスコ世界遺産1199物件の全物件名と登録基準、位置を掲載。ユネスコ世界遺産の概要も充実。世界遺産学習の上での必携の書。

世界遺産事典－1157全物件プロフィール－ 新刊 2023改訂版
978-4-86200-264-8 本体3000円 2023年3月発行
世界遺産1157物件の全物件プロフィールを収録。 2023改訂版

世界遺産キーワード事典 2020改訂版 新刊
978-4-86200-241-9 本体2600円 2020年7月発行
世界遺産に関連する用語の紹介と解説

世界遺産マップス －地図で見るユネスコの世界遺産－ 新刊 2023改訂版
978-4-86200-263-1 本体2727円 2023年2月発行
世界遺産1157物件の位置を地域別・国別に整理

世界遺産ガイド－世界遺産条約採択40周年特集－
978-4-86200-172-6 本体2381円 2012年11月発行
世界遺産の40年の歴史を特集し、持続可能な発展を考える。

世界遺産フォトス 世界遺産の多様性を写真資料で学ぶ。
－写真で見るユネスコの世界遺産－ 4-916208-22-6 本体1905円 1999年8月発行
第2集－多様な世界遺産－ 4-916208-50-1 本体2000円 2002年1月発行
第3集－海外と日本の至宝100の記憶－ 978-4-86200-148-1 本体2381円 2010年1月発行

世界遺産入門－平和と安全な社会の構築－
978-4-86200-191-7 本体2500円 2015年5月発行
世界遺産を通じて「平和」と「安全」な社会の大切さを学ぶ

世界遺産学入門－もっと知りたい世界遺産－
4-916208-52-8 本体2000円 2002年2月発行
新しい学問としての「世界遺産学」の入門書

世界遺産学のすすめ－世界遺産が地域を拓く－
4-86200-100-9 本体2000円 2005年4月発行
普遍的価値を顕す世界遺産が、閉塞した地域を拓く

世界遺産概論＜上巻＞＜下巻＞ 世界遺産の基礎的事項をわかりやすく解説
上巻 978-4-86200-116-0 2007年1月発行
下巻 978-4-86200-117-7 本体各2000円

世界遺産ガイド－ユネスコ遺産の基礎知識－2023改訂版 新刊
978-4-86200-267-9 本体2727円 2023年8月発行
混同しやすいユネスコ三大遺産の違いを明らかにする

世界遺産ガイド－世界遺産条約編－
4-916208-34-X 本体2000円 2000年7月発行
世界遺産条約を特集し、条約の趣旨や目的などポイントを解説

世界遺産ガイド －世界遺産条約とオペレーショナル・ガイドライン編－
978-4-86200-128-3 本体2000円 2007年12月発行
世界遺産条約とその履行の為の作業指針について特集する

世界遺産ガイド－世界遺産の基礎知識編－ 2009改訂版
978-4-86200-132-0 本体2000円 2008年10月発行
世界遺産の基礎知識をQ&A形式で解説

世界遺産ガイド－図表で見るユネスコの世界遺産編－
4-916208-89-7 本体2000円 2004年12月発行
世界遺産をあらゆる角度からグラフ、図表、地図などで読む

世界遺産ガイド－情報所在源編－
4-916208-84-6 本体2000円 2004年1月発行
世界遺産に関連する情報所在源を各国別、物件別に整理

世界遺産ガイド－自然遺産編－ 2020改訂版 新刊
978-4-86200-234-1 本体2600円 2020年4月発行
ユネスコの自然遺産の全容を紹介

世界遺産ガイド－文化遺産編－ 2020改訂版 新刊
978-4-86200-235-8 本体2600円 2020年4月発行
ユネスコの文化遺産の全容を紹介

世界遺産ガイド－文化遺産編－
1. 遺跡 4-916208-32-3 本体2000円 2000年8月発行
2. 建造物 4-916208-33-1 本体2000円 2000年9月発行
3. モニュメント 4-916208-35-8 本体2000円 2000年10月発行
4. 文化的景観 4-916208-53-6 本体2000円 2002年1月発行

世界遺産ガイド－複合遺産編－ 2020改訂版 新刊
978-4-86200-236-5 本体2600円 2020年4月発行
ユネスコの複合遺産の全容を紹介

世界遺産ガイド－危機遺産編－ 2020改訂版 新刊
978-4-86200-237-2 本体2600円 2020年4月発行
ユネスコの危機遺産の全容を紹介

世界遺産ガイド－文化の道編－
978-4-86200-207-5 本体2500円 2016年12月発行
世界遺産に登録されている「文化の道」を特集

世界遺産ガイド－文化的景観編－
978-4-86200-150-4 本体2381円 2010年4月発行
文化的景観のカテゴリーに属する世界遺産を特集

世界遺産ガイド－複数国にまたがる世界遺産編－
978-4-86200-151-1 本体2381円 2010年6月発行
複数国にまたがる世界遺産を特集

シンクタンクせとうち総合研究機構

世界遺産ガイド－日本編－ 2024改訂版 **新刊**	978-4-86200-271-6 本体2727円 2024年1月発行 日本にある世界遺産、暫定リストを特集
日本の世界遺産 －東日本編－ －西日本編－	978-4-86200-130-6 本体2000円 2008年2月発行 978-4-86200-131-3 本体2000円 2008年2月発行
世界遺産ガイド－日本の世界遺産登録運動－	4-86200-108-4 本体2000円 2005年12月発行 暫定リスト記載物件はじめ世界遺産登録運動の動きを特集
世界遺産ガイド－世界遺産登録をめざす富士山編－	978-4-86200-153-5 本体2381円 2010年11月発行 富士山を世界遺産登録する意味と意義を考える
世界遺産ガイド－北東アジア編－	4-916208-87-0 本体2000円 2004年3月発行 北東アジアにある世界遺産を特集、国の概要も紹介
世界遺産ガイド－朝鮮半島にある世界遺産－	4-86200-102-5 本体2000円 2005年7月発行 朝鮮半島にある世界遺産、暫定リスト、無形文化遺産を特集
世界遺産ガイド－中国編－ 2010改訂版	978-4-86200-139-9 本体2381円 2009年10月発行 中国にある世界遺産、暫定リストを特集
世界遺産ガイド－モンゴル編－ **新刊**	978-4-86200-233-4 本体2500円 2019年12月発行 モンゴルにあるユネスコ遺産を特集
世界遺産ガイド－東南アジア諸国編－ **新刊**	978-4-86200-262-4 本体3500円 2023年1月発行 東南アジア諸国にあるユネスコ遺産を特集
世界遺産ガイド－ネパール・インド・スリランカ編－	978-4-86200-221-1 本体2500円 2018年11月発行 ネパール・インド・スリランカにある世界遺産を特集
世界遺産ガイド－オーストラリア編－	4-86200-115-7 本体2000円 2006年5月発行 オーストラリアにある世界遺産を特集、国の概要も紹介
世界遺産ガイド－中央アジアと周辺諸国編－	4-916208-63-3 本体2000円 2002年8月発行 中央アジアと周辺諸国にある世界遺産を特集
世界遺産ガイド－イスラエルとパレスチナ編－	4-86200-274-7 本体2727円 2024年2月発行 イスラエルとパレスチナにある世界遺産等を特集
世界遺産ガイド－サウジアラビア編－ **新刊**	4-86200-270-9 本体2500円 2023年11月発行 サウジアラビアにある世界遺産等を特集
世界遺産ガイド－知られざるエジプト編－ **新刊**	978-4-86200-152-8 本体2381円 2010年6月発行 エジプトにある世界遺産、暫定リスト等を特集
世界遺産ガイド－イタリア編－	4-86200-109-2 本体2000円 2006年1月発行 イタリアにある世界遺産、暫定リストを特集
世界遺産ガイド－スペイン・ポルトガル編－	978-4-86200-158-0 本体2381円 2011年1月発行 スペインとポルトガルにある世界遺産を特集
世界遺産ガイド－英国・アイルランド編－	978-4-86200-159-7 本体2381円 2011年3月発行 英国とアイルランドにある世界遺産等を特集
世界遺産ガイド－フランス編－	978-4-86200-160-3 本体2381円 2011年5月発行 フランスにある世界遺産、暫定リストを特集
世界遺産ガイド－ドイツ編－	4-86200-101-7 本体2000円 2005年6月発行 ドイツにある世界遺産、暫定リストを特集
世界遺産ガイド－ロシア編－	978-4-86200-166-5 本体2381円 2012年4月発行 ロシアにある世界遺産等を特集
世界遺産ガイド－ウクライナ編－ **新刊**	978-4-86200-260-0 本体2600円 2022年3月発行 ウクライナにある世界遺産等を特集
世界遺産ガイド－コーカサス諸国編－ **新刊**	978-4-86200-227-3 本体2500円 2019年6月発行 コーカサス諸国にある世界遺産等を特集
世界遺産ガイド－アメリカ合衆国編－ **新刊**	978-4-86200-214-3 本体2500円 2018年1月発行 アメリカ合衆国にあるユネスコ遺産等を特集
世界遺産ガイド－メキシコ編－	4-86200-202-0 本体2500円 2016年8月発行 メキシコにある世界遺産等を特集
世界遺産ガイド－カリブ海地域編－ **新刊**	4-86200-226-6 本体2600円 2019年5月発行 カリブ海地域にある主な世界遺産を特集
世界遺産ガイド－中米編－	4-86200-81-1 本体2000円 2004年2月発行 中米にある主な世界遺産を特集
世界遺産ガイド－南米編－	4-86200-76-5 本体2000円 2003年9月発行 南米にある主な世界遺産を特集

 シンクタンクせとうち総合研究機構